前書き

◇この本の構成

【文字・語彙】
- <漢字読み>　　　　36問：9問×4回
- <表記（漢字）>　　24問：6問×4回
- <文脈規定>　　　　30問：10問×3回
- <言い換え類義>　　25問：5問×5回
- <用法>　　　　　　25問：5問×5回

【文法】
- <文の文法1>　　　45問：15問×3回
- <文の文法2>　　　20問：5問×4回
- <文章の文法>　　　20問：5問×4回

【読解】
- <内容理解(短文)>　8問題(4問題×2回)
- <内容理解(中文)>　3問題(1問題×3回)
- <情報検索>　　　　3問題(1問題×3回)

【聴解】
- <課題理解>　　　　16問(8問×2回)
- <ポイント理解>　　14問(7問×2回)
- <発話表現>　　　　10問(5問×2回)
- <即時応答>　　　　16問(8問×2回)

正解・解説（別冊）

※聴解音声

音声はMP3ファイルをZIP形式で圧縮してダウンロードサイトに掲載してあります。下記のサイトからダウンロードしてご利用ください。

http://www.unicom-lra.co.jp/jd/Drill&DrillN4_LSTN_DL.html

ファイル名　Drill&DrillN4聴解.zip　パスワード　UCD-046-01

※上記の音声ファイルは著作権によって保護されます、無断転複製を禁じます。

◇この本の特徴と使い方

① 問題数が多い。

新しい「日本語能力試験」を受けるみなさんがN4の「文字・語彙」「文法」「読解」「聴解」をマスターするための練習問題が数多く入っています。問題は、実際の試験と同じような、新しい問題形式で作られています。

合格への近道は、問題をたくさんやってみることです。この本でしっかり勉強して、合格をめざしてください。

② 回ごとに少しずつ進むことができる。

少しずつ勉強を進めることができるように、それぞれの問題を何回かに分けてあります。1回ごとに必ず成績をチェックして、ページの右上の得点欄に点数を書き入れてください。実力がどれだけ伸びたか自分で確認することが大切です。

③ ていねいで、わかりやすい解説がついている。

別冊には、正解と問題の解説（問題文の翻訳、正解語の翻訳、例文、正解でない語の意味や使い方、ヒントや解き方など）があります。勉強する時間があまりない人は、正解をチェックしてから、間違えた問題だけ、その解説を読んでみればいいでしょう。時間がある人は、正解できても答えに自信がなかった問題は、必ず解説の部分をゆっくり、よく読んでください。解説を読むことで、また力をつけることができます。

④ 語句や例文、難しい説明には翻訳がついている。

別冊の解説では、問題文、正解の語、難しい日本語の説明に、英語の翻訳がついています。翻訳を見て解説の内容を確認することができます。

⑤ 正解ではないものについても説明がある。

選択肢の中の、正解ではないものについても説明があります。答えを間違えたときは、参考にしてください。正解ではない語も、知っておかなければならない重要な語ですから、意味をしっかり確認しましょう。

◇Ｎ４「文字・語彙」の勉強のポイント

＜漢字読み＞

　漢字で書かれた言葉の読み方を選びます。ひらがなの表記を選びますから、ひらがなでどのように書くかをきちんと知っていなければなりません。特に、次のような読み方は間違えやすいので、注意しましょう。

1. 長い音：例(お母さん)おかあさん　(お姉さん)おねえさん　(お父さん)おとうさん　(夕方)ゆうがた　(高校)こうこう
2. 清音と濁音：例(足)あし／(味)あじ　(天気)てんき／(電気)でんき　(大切)たいせつ／(大事)だいじ
3. 促音への変化：例(大学)だいがく／(学校)がっこう　(特別)とくべつ／(特急)とっきゅう
4. 半濁音への変化：例(発音)はつおん／(出発)しゅっぱつ
5. 読み方がたくさんある漢字：例「日」：日(ひ)、日よう日(にちようび)、二日(ふつか)
「下」：下(した)、地下(ちか)、下りる(おりる)、下がる(さがる)
6. 例外的な読み方：例(切手)きって　(上着)うわぎ
7. 拗音(小さい「ゃ」「ゅ」「ょ」)：例(急行)きゅうこう　(出発)しゅっぱつ　(病気)びょうき

＜表記(漢字)＞

　ひらがなで書かれた語を漢字でどのように書くか、正しい漢字を選びます。試験では漢字を選ぶだけですが、漢字の書き方は、いつも紙にペンで書いて覚えるようにしましょう。そうしないと正確に覚えることができません。特に、形が似ている漢字は間違えやすいので、注意しましょう。例「人／入／八」「木／本」「右／左」「小／少」「日／白」「母／毎」「姉／妹」「開／聞／間／問」「新／親」

＜文脈規定＞

　文の意味を推測して、それに合う言葉を選びます。語彙の問題としては標準的な問題です。４つの選択肢には、意味や音や漢字が似ている言葉が並んでいますから、間違えないようによく注意しましょう。

＜言い換え類義＞
　文中の下線で示された言葉と同じ意味、近い意味の言葉を選びます。示された言葉と選択肢の言葉と、両方の意味を知っていれば答えることができます。語彙の勉強では、単語カードや単語ノートを作って言葉を覚える人が多いですが、単語の意味を母語に置き換えるだけでなく、別の日本語で置き換えて覚えるのも良い方法です。こうすれば、一度に２つ、３つの単語が覚えられて、語彙を増やすのに効果的です。

＜用法＞
　下線のついた言葉が適切に使われている文を選びます。語彙の問題ですから、文法的な適切さではなく、意味的に適切かどうかを判断します。この問題は単語の意味を知っているだけではなく、その言葉が文の中でどのように使われるかを知らないと答えられません。ですから、単語の意味を暗記するだけではだめで、文で覚えるのが良い勉強法です。覚えやすい例文を選んで、その文全体を覚えましょう。例えば「試験」なら、「大学の試験を受ける」という文を覚えます。カタカナの言葉も出題されますが、外来語でも日本語としての使い方を知っておかなければなりません。

◇Ｎ４「文法」の勉強のポイント

＜文の文法１＞
　空白の中に適当な言葉を選択肢から選んで入れます。空白に入る言葉は、Ｎ４レベルの日本語学習者に欠かせない表現文型が中心になりますが、どれも日常よく使われる重要な表現ばかりですから、「文法」の分野だけでなく「読解」「聴解」の実力をつけるためにも、しっかりと勉強してください。

＜文の文法２＞
　文を正しく組み立てる形式の問題です。この問題でも、問われるポイントは、やはり表現文型が中心となります。しかし、表現の意味や使い方の知識だけでこの問題に正しく答えることはできません。今まで勉強した文法の規則の全部をカギにして文を組み立てる練習が必要です。慣れないと少し難しいように感じるかもしれませんが、パズルを解くようなおもしろさもあります。練習問題をたくさん解いているうちにきっとこの問題が好きになるでしょう。

＜文章の文法＞
　まとまった文章の中に空白があります。文章の流れを理解したうえで、意味的に合い、しかも文法的に適切な言葉を選ぶ問題です。空白部に入るのは、助詞、接続詞、機能語類、文末表現などの文法的なもののほかに、意味から考えて文脈に合うような語句や文もあります。
　この問題を解くときは、まず、文章全体の意味を考えて、文章の流れや進み方をつかみます。次に、細かい部分に注目して、文と文の関係を考えながら、空白に入る言葉を選択肢から選びます。これだけのことを短い時間で行うのは簡単ではありませんから、練習問題で十分なトレーニングをすることが必要です。これは、読解の練習もかねる大変良い勉強になります。

◇ N4「読解」の勉強のポイント

＜内容理解（短文）＞
　短い文章を読みます。手紙、Eメール、お知らせなどの実用的な文章も出題されるかもしれません。速く読んで、すぐに要点をつかむ練習をしましょう。

＜内容理解（中文）＞
　450字ほどの文章を読みます。評論、解説文、エッセイなどの文章が中心になります。内容の事実関係をとらえる練習、さらに因果関係や筆者の考えなどを読み取る練習もしなければなりません。

＜情報検索＞
　お知らせや案内などの実用文を読んで、必要な情報を見つけます。漢字、語彙の知識が足りないと、なかなか答えられません。自分が今実際にその情報を探しているつもりになって集中して読むと、答えが見つけやすくなるでしょう。

◇ N4「聴解」の勉強のポイント

<課題理解>

　毎日の生活の中で、私たちはラジオやテレビや人からさまざまな情報を聞いて、それをもとに行動しています。このような情報のポイント(何、いつ、どこ など)を聞き取る、現実的で実際的な聞き方を練習します。試験ではポイントをメモすることも大切ですから、練習のときから、メモを取りながら聞くようにしましょう。メモの書き方も、練習するにしたがって上手になるでしょう。

<ポイント理解>

　はじめに質問を聞きます。次に問題用紙の選択肢を読んでおきます。はっきり言わないあいまいな会話もあるので、推測をしながら、話している人の気持ちや起こったことの理由などをつかむ練習をしましょう。

<発話表現>

　場面を表すイラストを見ながら、状況の説明を聞きます。ほかの問題とちがって、この問題では話し手の発話を選びます。話し手の発話が場面や状況に合っているかどうかを判断します。実際のコミュニケーションで場面や状況に合う発話ができる力をつけておきましょう。

<即時応答>

　短い話を聞いて、その返事を3つの中から選びます。新しい形式の問題ですから、形式に慣れて、短い時間ですぐに答えが選べるようにトレーニングをしてください。練習をすればするだけ、慣れて、楽に正解が見つかるようになります。16の問題が終わったら、また最初から聞いて、繰り返し練習すると効果的です。

Preface

◇ The makeup of this book

【Vocabulary】

 < Kanji reading >   36 questions (9 questions × 4)

 < Orthography >   24 questions (6 questions × 4)

 < Contextually-defined expressions >   30 questions (10 questions × 3)

 < Paraphrases >   25 questions (5 questions × 5)

 < Usage >   25 questions (5 questions × 5)

【Grammar】

 < Sentential grammar 1 (Selecting grammar form) > 45 questions (15 questions × 3)

 < Sentential grammar 2 (Sentence composition) >   20 questions (5 quesitons × 4)

 < Text grammar >   20 questions (5 questions × 4)

【Reading】

 < Comprehension (Short passages) >   8 questions (4 questions × 2)

 < Comprehension (Mid-size passages) >   3 questions (1 quesitons × 3)

 < Information retrieval >   4 questions (1 questions × 3)

【Listening】

 < Task-based comprehension >   16 questions (8 questions × 2)

 < Comprehension of key points >   14 questions (7 questions × 2)

 < Verbal expressions >   10 questions (5 questions × 2)

 < Quick response >   16 questions (8 questions × 2)

Answers/Explanations (separate book)

◇ Features of and how to use this book

(1) A large number of questions are provided.
This book contains a large number of practice tests in the area of "Vocabulary," "Grammar," "Reading," and "Listening" for those who are going to take the new "Japanese-Language Proficiency Test" Level N4. All the questions in this book are made in the new format as in the actual test.
A shortcut for you to pass the test would be to try as many practice questions as possible. We hope you will prepare with this book and succeed in the upcoming test.

(2) You can proceed gradually by taking one test at a time.
Each test is split into several portions so you can proceed your study little by little. Make sure you fill in your score each time in the score space at the top of the page because it is important to check your current level.

(3) Helpful explanations are provided.
You will find the correct answers and explanations (translations of questions and answers, example sentences, meaning of and usages of incorrect answers, tips and answering techniques, etc.) in the separate booklet. If you don't have much time to study, you can just check the right answers and read the explanations for the ones you were wrong with. If you do have time, make sure you read the explanations carefully even if you gave the correct answers but were not confident. You can further improve your skills by reading them.

(4) Phrases, examples, difficult explanations are followed by translations.
In the separate book, the questions, answers, and difficult explanations are translated into English. You can make sure you understand the explanations by reading the translations.

(5) Non-correct alternatives also come with explanations.
Among the choices, the non-correct alternatives also come with explanations which will be helpful when you chose a wrong answer. You also need to know the meanings of non-correct alternatives which are also important.

◇ How to prepare for N4 "Characters and Vocabulary"

< Kanji reading >

You are asked to choose the right readings of words written in kanji. You need to choose the right readings written in hiragana, so you must know exactly how to rewrite kanji characters using hiragana. Below are some examples of kanji readings you need to pay special attention to:

1. Long sounds: Examples （お母さん）おかあさん　（お姉さん）おねえさん　（お父さん）おとうさん　（夕方）ゆうがた　（高校）こうこう
2. Voiceless and voiced sounds: Examples （足）あし／（味）あじ　（天気）てんき／（電気）でんき　（大切）たいせつ／（大事）だいじ
3. Shift to double consonants: Examples （大学）だいがく／（学校）がっこう　（特別）とくべつ／（特急）とっきゅう
4. Shift to semi-voiced sounds: Examples （発音）はつおん／（出発）しゅっぱつ
5. Kanji with multiple readings: Examples 「日」：日（ひ）、日よう日（にちようび）、二日（ふつか）「下」：下（した）、地下（ちか）、下りる（おりる）、下がる（さがる）
6. Exceptional reading: Examples （切手）きって　（上着）うわぎ
7. Contracted sound （small letter「ゃ-yo」「ゅ-yu」「ょ-yo」）： Examples （急行）きゅうこう　（出発）しゅっぱつ　（病気）びょうき

< Orthography >

You are asked to choose the right kanji which should represent proper meanings written in hiragana. You are only asked to choose the right kanji among the four choices in the test, but we advise you to actually practice writing kanji with a pen on a piece of paper. Otherwise, you won't be able to learn them properly. Below are some examples which look alike and so you need to pay special attention to. Kanjis which look alike: Examples 「人／入／八」「木／本」「右／左」「小／少」「日／白」「母／毎」「姉／妹」「開／聞／間／問」「新／親」

< Contextually-defined expressions >

You are asked to guess the meaning of a sentence and to choose the proper word which matches the sentence. This is a standard type of vocabulary questions. You need to be very careful in choosing the right one because the four choices given are very much alike in meaning, sound, or kanji.

< Paraphrases >

You are asked to choose the word which has (about) the same meaning as of the underlined word in a sentence. You can pick the right word if you know the meaning of both the underlined word and of the choices. A lot of people use cards or a notebook for learning vocabulary, but you could also practice rephrasing words using different Japanese words when learning vocabulary rather than simply translating them into your native language. It will be effective in enhancing your vocabulary if you do this, because you can learn two or three words at the same time.

< Usage >
You are asked to choose the right sentence which has the proper usage of the underlined word in the sentence. Because this is a vocabulary question, you need to judge if a word is being properly used in a sentence rather than judging the grammatical accuracy. You cannot pick the right sentence unless you know how a word is used in a sentence besides the original meaning of it. Therefore, it will be no good to just memorize vocabulary mechanically. You need to learn how they are used in sentences. Pick example sentences that are easy to remember, and memorize the whole sentences. For example, when you want to learn the word 試験(しけん) (examination), you memorize the sentence 大学(だいがく)の試験(しけん)を受(う)ける (I take a college examination). Katakana words are also asked, and although they are foreign words, you need to know the right usage as used in Japanese.

◇ How to prepare for N4 "Grammar"

< Sentential grammar 1 (Selecting grammar form) >
In this section, you are to choose the appropriate words to fill in the blanks with. Most of the alternatives are functional words (structural expressions) that must be mastered by N4 students, and are very important because all of them are commonly-used in daily life. They are also helpful for the Reading and Listening sections, so study them hard.

< Sentential grammar 2 (Sentence composition) >
This section is made up of a type of questions in which you are asked to rearrange the words and compose sentences correctly. Again, the major points here are structural expressions. However, only the knowledge of the meanings and usages of those expressions will not enable you to answer the questions here correctly. It is necessary for you to practice building up sentences using all the grammar rules that you have learned so far. You may feel it is a little difficult before you get used to this type of questions, but you may later find it thrilling just like when you are trying to figure out a puzzle. You will certainly come to like this type of questions after working on a number of practice questions.

< Text grammar >
There are some blanks in a passage on a certain topic. You need to pick the right words that are appropriate not only in meaning but also in grammar. Choices given for filling in the blank are the grammatical elements such as particles, conjunctions, functional words, words for ending sentences and etc., along with phrases or sentences that are contextually appropriate in meaning. When answering these questions, you need to try to grasp the overall meaning of the passage, how it is constructed and developed. Next, you pay attention to more detailed parts, understand the co-relations of each sentence, and then pick the most suitable words from the choices. It is not easy to do all of these in a short time, so it is necessary that you train yourself hard through the practice questions in this book. This will also help you improve your reading comprehension.

◇ Study points for N4 "Reading"

< Comprehension (Short passages) >
You read a short passage, sometimes daily-life messages such as a letter, Email, notice, etc. You need to practice fast reading and getting the essential points.

< Comprehension (Mid-size passages) >
You read an about 450-character-long passage, mostly a comment, report, or an essay. You need to practice telling if some incidents are true or false, and also need to practice understanding cause-and-effect relations or author's ideas.

< Information retrieval >
You read notices or announcements and then search for necessary information. It is pretty difficult to answer these questions if you do not have enough knowledge of kanji and vocabulary. It is advisable for you to read the sentences and phrases thinking that you actually are trying to find certain information, and you would be able to better concentrate yourself and find the answers more easily.

◇ Study points for N4 "Listening"

< Task-based comprehension >
We hear all kinds of information in our daily life through radio, TV or people, based on which we take actions. In this section you practice catching the necessary information (real-life information such as what, when, where etc.). It is also important to take notes during the test, so practice listening while taking notes. You can also improve note-taking techniques in a while.

< Comprehension of key points >
First you listen to some questions. Next you read the choices on the test paper. There are some conversations that are rather vague and indirect, so you need to practice guessing and catching the speaker's feelings or reasons for some incidents.

< Verbal expressions >
You listen to an explanation of a situation while you look at an illustration that describes the scene. Unlike other questions, you choose the speaker's utterance in this question. You judge if the speaker's utterance is suited to the scene or situation. You need to strengthen your skill to be able to say what is suited to particular scenes and situations in actual communications. Make sure you carry it out for practice.

< Quick response >
You listen to a short story, and need to pick the right response out of three choices. Because this is a new type of questions, try to get used to this style and train yourself to be able to pick the right answers in a short time. The more practice you make, the more you will get used to it and be able to get the correct answers easily. It will be effective, when you are finished with all the 16 questions, to go back to the first one and listen again.

目次

前書き -- 2
Preface --- 8
目次 -- 13
文字・語彙【Vocabulary】-- 15
 漢字読み Kanji Reading -- 16
 表記 Orthography -- 20
 文脈規定 Contextually-defined expressions ---------------------- 24
 言い換え類義 Paraphrases --------------------------------------- 30
 用法 Usage --- 35

文法【Grammar】-- 41
 文の文法1 Sentential grammar 1 (Selecting grammar form) ------- 42
 文の文法2 Sentential grammar 2 (Sentence composition) --------- 48
 文章の文法 Text grammar -- 52

読解【Reading】-- 61
 内容理解・短文 Comprehension (Short passages) ------------------ 62
 内容理解・中文 Comprehension (Mid-size passages) --------------- 70
 情報検索 Information retrieval --------------------------------- 76

トラックNo一覧 -- 82
聴解【Listening】-- 83
 課題理解 Task-based comprehension ------------------------------ 84
 ポイント理解 Comprehension of key points ----------------------- 92
 発話表現 Verbal expressions ------------------------------------ 96
 即時応答 Quick response --------------------------------------- 102

【別冊】正解・解説

文字・語彙【Vocabulary】
漢字読み　Kanji Reading ……………………………………………… 2
表記　Orthography …………………………………………………… 9
文脈規定　Contextually-defined expressions ………………… 13
言い換え類義　Paraphrases ………………………………………… 17
用法　Usage ……………………………………………………………… 20

文法【Grammar】
形 提示の凡例　形 Explanatory Note ……………………………… 24
文の文法1　Sentential grammar 1 (Selecting grammar form) …… 25
文の文法2　Sentential grammar 2 (Sentence composition) …… 35
文章の文法　Text grammar ………………………………………… 43

読解【Reading】
内容理解・短文　Comprehension (Short passages) ………… 50
内容理解・中文　Comprehension (Mid-size passages) …… 53
情報検索　Information retrieval …………………………………… 56

聴解【Listening】
課題理解　Task-based comprehension …………………………… 58
ポイント理解　Comprehension of key points ………………… 65
発話表現　Verbal expressions ……………………………………… 72
即時応答　Quick response …………………………………………… 75

文字・語彙 【Vocabulary】

漢字読み　　　　　　第1回 - 第4回
表記　　　　　　　　第1回 - 第4回
文脈規定　　　　　　第1回 - 第3回
言い換え類義　　　　第1回 - 第5回
用法　　　　　　　　第1回 - 第5回

第1回 漢字読み

_____の ことばは ひらがなで どう かきますか。1・2・3・4から いちばん いい ものを ひとつ えらんで ください。

【1】 あした、試験が あります。
　　1　じけん　　　2　しけん　　　3　じっけん　　　4　しっけん

【2】 つぎの 電車は 特急です。
　　1　とくきゅう　2　とくきゅ　　3　とっきゅう　　4　とっきゅ

【3】 きのうの 昼間は 出かけて いました。
　　1　ひるかん　　2　ちゅうかん　3　ちゅうま　　　4　ひるま

【4】 あの 店員に 聞いて みましょう。
　　1　てんいん　　2　てんにん　　3　みせいん　　　4　みせにん

【5】 わたしは しょうらい 医者に なりたいです。
　　1　いさ　　　　2　いしゃ　　　3　いっしゃ　　　4　いっさ

【6】 この 花の 名前を しって いますか。
　　1　はな　　　　2　くさ　　　　3　あな　　　　　4　ちゃ

【7】 夕飯までに いえに かえります。
　　1　ゆうはん　　2　ゆはん　　　3　ばんごはん　　4　ばんはん

【8】 きょうは 暑いですね。
　　1　はやい　　　2　さむい　　　3　あつい　　　　4　おそい

【9】 車が たくさん 通って います。
　　1　わたって　　2　はしって　　3　とおって　　　4　とまって

第2回 漢字読み

日付	/	/	/
得点	/9	/9	/9

____の ことばは ひらがなで どう かきますか。1・2・3・4から いちばん いい ものを ひとつ えらんで ください。

【10】 きけんな 運転を しないで ください。
　　1　うてん　　2　うんてん　　3　うんどう　　4　うんて

【11】 この 上は 屋上です。
　　1　やじょう　　2　おくうえ　　3　やうえ　　4　おくじょう

【12】 きょうは 仕事が ありません。
　　1　しじ　　2　しごと　　3　しかた　　4　しこと

【13】 出発は 6時です。
　　1　しゅっぱつ　　2　しゅはつ　　3　ではつ　　4　でっぱつ

【14】 まっすぐ 進んで ください。
　　1　ならんで　　2　すすんで　　3　まなんで　　4　はこんで

【15】 ここが わたしたちの 教室です。
　　1　きょうしっつ　　　　2　きょうしつ
　　3　きょしっつ　　　　　4　きょしつ

【16】 その しまは 日本の 南に あります。
　　1　みなみ　　2　きた　　3　にし　　4　ひがし

【17】 ふねで 世界を まわりたいです。
　　1　せえかい　　2　せいかい　　3　せかい　　4　せっかい

【18】 うちの 台所は せまいです。
　　1　たいところ　　2　だいところ　　3　たいどころ　　4　だいどころ

第3回 漢字読み

日付	/	/	/
得点	/9	/9	/9

_____の ことばは ひらがなで どう かきますか。1・2・3・4から いちばん いい ものを ひとつ えらんで ください。

【19】 あした、 あなたの 都合は どうですか。
　　1　つごう　　　2　とごう　　　3　つあい　　　4　とあい

【20】 今朝は とても さむかったです。
　　1　けんさ　　　2　けっさ　　　3　けあさ　　　4　けさ

【21】 これから 図書館へ 行きます。
　　1　とうしょか　　　　　　　2　としょかん
　　3　とうしょうかん　　　　　4　とっしょかん

【22】 ここは 小さい 町です。
　　1　むら　　　2　まち　　　3　ちょう　　　4　しま

【23】 去年 子どもが 生まれました。
　　1　きょうねん　　2　ことし　　3　きょとし　　4　きょねん

【24】 この かばんは 重いです。
　　1　やすい　　　2　たかい　　　3　おもい　　　4　かるい

【25】 この 国は 工業が さかんです。
　　1　こぎょう　　2　こぎょ　　3　こうぎょう　　4　こうぎょ

【26】 今月の 八日は 土よう日です。
　　1　ようか　　　2　よっか　　　3　はちひ　　　4　はちにち

【27】 あなたの 意見は どうですか。
　　1　いみ　　　2　いけん　　　3　いけ　　　4　いっけん

第4回 漢字読み

日付	/	/	/
得点	/9	/9	/9

_____の ことばは ひらがなで どう かきますか。1・2・3・4から いちばん いい ものを ひとつ えらんで ください。

【28】ここに 住所を 書いて ください。
　　1　じゅうしょ　　2　じゅしょ　　3　じゆうしょ　　4　じゆうしよ

【29】わたしは 旅が すきです。
　　1　ぞく　　　　2　たび　　　　3　うた　　　　4　りょこう

【30】いもうとは 今、入院して います。
　　1　にゅうい　　2　にうい　　　3　にゆういん　　4　にゅういん

【31】ここに 新しい 建物が できる そうです。
　　1　たてもの　　2　けんぶつ　　3　けんもの　　4　たてぶつ

【32】パンを 半分だけ 食べました。
　　1　はんぷん　　2　はんぶん　　3　はんふん　　4　はぶん

【33】弟は かいしゃいんです。
　　1　おとと　　　2　おうとう　　3　おととう　　4　おとうと

【34】門の 前で まって いて ください。
　　1　もん　　　　2　かど　　　　3　ま　　　　　4　かん

【35】あの 光る ものは 何ですか。
　　1　ひかる　　　2　はかる　　　3　わかる　　　4　しかる

【36】合計は いくらに なりますか。
　　1　ごけ　　　　2　ごうけ　　　3　ごうけい　　4　こうけい

第1回 表記

____の ことばは どう かきますか。1・2・3・4から いちばん いい ものを ひとつ えらんで ください。

【1】 先生の せつめいが よく わかりませんでした。
　1　語明　　　2　説明　　　3　話明　　　4　読明

【2】 あそこに ひくい 山が 見えます。
　1　仾い　　　2　氐い　　　3　䏆い　　　4　低い

【3】 あの 人は あたまが いいです。
　1　顔　　　2　願　　　3　題　　　4　頭

【4】 しょくじの よういが できました。
　1　用意　　　2　用以　　　3　洋意　　　4　洋以

【5】 もっと まじめに はたらきなさい。
　1　働きなさい　　　　　　2　動きなさい
　3　重きなさい　　　　　　4　種きなさい

【6】 へやが きゅうに くらく なりました。
　1　昨く　　　2　暗く　　　3　明く　　　4　映く

第2回 表記

_____の ことばは どう かきますか。1・2・3・4から いちばん いい ものを ひとつ えらんで ください。

【7】 日本には けんが 40いじょう あります。
1 県　　　2 鳥　　　3 県　　　4 県

【8】 来年の はるに 国へ かえります。
1 秋　　　2 春　　　3 音　　　4 青

【9】 どこで それを かいましたか。
1 買いました　2 質いました　3 員いました　4 貸いました

【10】 ちずを 見たら、場所が わかりました。
1 他図　　　2 他国　　　3 地図　　　4 地国

【11】 ねる 前に くすりを 飲みます。
1 薬　　　2 菓　　　3 薬　　　4 楽

【12】 あの あかい ふくを きた 人は だれですか。
1 黒い　　　2 白い　　　3 青い　　　4 赤い

第3回 表記

日付	/	/	/
得点	/6	/6	/6

_____の ことばは どう かきますか。1・2・3・4から いちばん いい ものを ひとつ えらんで ください。

【13】ゆうべ きんじょで かじが ありました。
　　1　家事　　　2　家字　　　3　火事　　　4　火字

【14】にもつを すぐに おくって ください。
　　1　近って　　2　送って　　3　運って　　4　返って

【15】スピーチは みじかい ほうが いいです。
　　1　短い　　　2　長い　　　3　遠い　　　4　高い

【16】かいじょうは どこですか。
　　1　合場　　　2　会所　　　3　開場　　　4　会場

【17】駅まで あるきました。
　　1　走きました　2　歩きました　3　赤きました　4　失きました

【18】この 国は もりが たくさん あります。
　　1　林　　　　2　池　　　　3　森　　　　4　海

___の ことばは どう かきますか。1・2・3・4から いちばん いい ものを ひとつ えらんで ください。

【19】 しつもんは ありませんか。
　1　室問　　　　2　質問　　　　3　貭門　　　　4　貸門

【20】 あには からだが よわいです。
　1　強い　　　　2　引い　　　　3　張い　　　　4　弱い

【21】 やさいを よく あらって ください。
　1　洗って　　　2　冼って　　　3　池って　　　4　池って

【22】 ふくを かいに デパートへ 行きましょう。
　1　眼　　　　　2　眠　　　　　3　服　　　　　4　服

【23】 まどから そらが 見えます。
　1　究　　　　　2　突　　　　　3　宍　　　　　4　空

【24】 くびの うんどうを しましょう。
　1　首　　　　　2　首　　　　　3　首　　　　　4　着

第1回 文脈規定

（　）に なにを いれますか。1・2・3・4から いちばん いい ものを ひとつ えらんで ください。

【1】 びょういんへ 友だちの （　　　） に 行きました。
　1　おいわい　　2　おみまい　　3　おみやげ　　4　おまつり

【2】 この 電車で 東京駅へ 行く ことは できません。つぎの 駅で （　　　） ください。
　1　とりかえて　2　まちがえて　3　のりかえて　4　ひっこして

【3】 小学校の 友だちと （　　　） 会いました。
　1　ひさしぶりに　　　　　2　とくに
　3　ひじょうに　　　　　　4　ねっしんに

【4】 学校の （　　　） で 校長先生の 話を 聞きました。
　1　りょかん　　2　かいがん　　3　こうどう　　4　いなか

【5】 どちらに するか （　　　） ください。
　1　きめて　　2　ためて　　3　とめて　　4　しめて

【6】（　　　）を して、しごとに おくれて しまいました。
　　1　あさねぼう　　2　ひるやすみ　　3　そつぎょう　　4　ゆうはん

【7】つぎの しあいで どちらが （　　　）か、わかりません。
　　1　たつ　　　　2　かつ　　　　3　こむ　　　　4　すむ

【8】つかれましたね。（　　　）休みましょう。
　　1　かわりに　　2　たとえば　　3　しばらく　　4　ぜんぜん

【9】この カードの （　　　）に 名前を 書いて ください。
　　1　やね　　　　2　しま　　　　3　かべ　　　　4　うら

【10】ここに じてんしゃを おくと （　　　）ですから、おかないで
　　　ください。
　　1　じゃま　　　2　ひつよう　　3　とくべつ　　4　ふくざつ

第2回 文脈規定

（　　）に　なにを　いれますか。1・2・3・4から　いちばん　いい　ものを　ひとつ　えらんで　ください。

【11】何か　おもしろい　テレビの　（　　　）は　ありませんか。
　　1　きょうみ　　　2　せいじ　　　3　よてい　　　4　ばんぐみ

【12】この　住所が　ただしいか　どうか　（　　　）ください。
　　1　こわれて　　　2　さわって　　　3　しらべて　　　4　すてて

【13】子どもの　（　　　）は　とても　だいじです。
　　1　けいさつ　　　2　きょういく　　　3　せんそう　　　4　ほうそう

【14】一人では　できませんから、（　　　）ください。
　　1　てつだって　　　2　まにあって　　　3　まちがえて　　　4　つかまえて

【15】（　　　）ぜひ　いっしょに　しょくじを　しましょう。
　　1　こんど　　　2　このあいだ　　　3　このごろ　　　4　さいきん

【16】すみません。(　　　)が わるいので、先に かえります。
　　1　きせつ　　　2　きけん　　　3　きぶん　　　4　きそく

【17】この 道は 車が あまり (　　　)。
　　1　ふとりません　　　　　　2　とおりません
　　3　おくりません　　　　　　4　かぶりません

【18】あついですね。(　　　)を 入れましょうか。
　　1　ステレオ　　2　パソコン　　3　ガソリン　　4　エアコン

【19】ゆうべ おそく ねたので、今日は (　　　)です。
　　1　にがい　　　2　ねむい　　　3　あさい　　　4　うまい

【20】今年の ふゆは (　　　)あたたかくて、よかったですね。
　　1　わりあい　　2　はっきり　　3　できるだけ　4　かならず

第3回 文脈規定

日付	/	/	/
得点	/10	/10	/10

（　　）に　なにを　いれますか。1・2・3・4から　いちばん　いい　ものを　ひとつ　えらんで　ください。

【21】 友だちを　いえに　（　　　）しました。
　　1　しゅっせき　　2　せつめい　　3　りよう　　4　しょうたい

【22】 雨が　ふって　きました。かさを　（　　　）。
　　1　とりましょう　　　　　　2　つけましょう
　　3　さしましょう　　　　　　4　たてましょう

【23】 足が　いたかったので、（　　　）で　2かいへ　上がりました。
　　1　オートバイ　　　　　　　2　アルバイト
　　3　エスカレーター　　　　　4　テキスト

【24】 だいじな　ものは　つくえの　（　　　）に　入れました。
　　1　ひきだし　　2　おしいれ　　3　げんかん　　4　たな

【25】 日が　（　　　）、くらく　なりました。
　　1　きえて　　2　ゆれて　　3　くれて　　4　なれて

【26】あなたの へんじを (　　　) まって います。
　　1　ほとんど　　　2　ずっと　　　3　これから　　　4　さっき

【27】となりに けいさつが あるので、ここは (　　　) だと おもいます。
　　1　あんぜん　　　2　むり　　　3　じゆう　　　4　ふべん

【28】わたしは コンピューターの (　　　) を べんきょうして います。
　　1　きせつ　　　2　じだい　　　3　せんもん　　　4　ぎじゅつ

【29】道の かどから 車が きゅうに 出て きたので、(　　　)。
　　1　いじめました　　　　　　2　はらいました
　　3　びっくりしました　　　　4　しらべました

【30】その へやの かべに (　　　) 花の えが かけて ありました。
　　1　きびしい　　　　　　　2　うつくしい
　　3　はずかしい　　　　　　4　かなしい

第1回 言い換え類義

_____の ぶんと だいたい おなじ いみの ぶんが あります。1・2・3・4から いちばん いい ものを ひとつ えらんで ください。

【1】 ゆうべ 雨が ふりました。
1 きょうの あさ あめが ふりました。
2 きょうの ひる あめが ふりました。
3 きのうの あさ あめが ふりました。
4 きのうの よる あめが ふりました。

【2】 じゅぎょうが はじまる 時間に まにあいました。
1 じゅぎょうに しゅっせきできませんでした。
2 じゅぎょうに おくれませんでした。
3 じゅぎょうが 休みでした。
4 じゅぎょうに おくれました。

【3】 びょうきが なおりました。
1 びょうきに なりました。
2 げんきに なりませんでした。
3 げんきに なりました。
4 びょうきが わるく なりました。

【4】 しごとは いつ すみますか。
1 しごとは いつ おわりますか。
2 しごとは いつ やめますか。
3 しごとは いつ やすみますか。
4 しごとは いつ はじまりますか。

【5】 きょうは 一日 じゆうです。
1 きょうは 何を しても いいです。
2 きょうは ずっと いそがしいです。
3 きょうは 何も しません。
4 きょうは だれも いません。

第2回 言い換え類義

＿＿＿の ぶんと だいたい おなじ いみの ぶんが あります。1・2・3・4から いちばん いい ものを ひとつ えらんで ください。

【6】 これと それを べつに して ください。
1 これと それを いっしょに 入れて ください。
2 これと それを いっしょに つつんで ください。
3 これと それを いっしょに おくって ください。
4 これと それを いっしょに しないで ください。

【7】 こたえを まちがえました。
1 こたえが ただしくありませんでした。
2 こたえが あって いました。
3 こたえが ただしいか どうか わかりません。
4 どの こたえが ただしいか かんがえました。

【8】 ここは ふべんな ところです。
1 ここは べんりでは ありません。
2 ここは にぎやかでは ありません。
3 ここは あんぜんでは ありません。
4 ここは しずかでは ありません。

【9】 たばこを やめました。
1 よく たばこを 買います。
2 たばこが きらいです。
3 もう たばこを すいません。
4 また たばこを すいました。

【10】 この もんだいは かんたんです。
1 この もんだいは すこし むずかしいです。
2 この もんだいは むずかしくないです。
3 この もんだいは あまり やさしくないです。
4 この もんだいは ずいぶん むずかしいです。

第3回 言い換え類義

日付	/	/	/
得点	/5	/5	/5

＿＿＿の ぶんと だいたい おなじ いみの ぶんが あります。1・2・3・4から いちばん いい ものを ひとつ えらんで ください。

【11】 はやく かえっても かまいません。
 1 はやく かえっても いいです。
 2 はやく かえっては いけません。
 3 はやく かえらなければ なりません。
 4 はやく かえりません。

【12】 大学の にゅうがくしけんに しっぱいしました。
 1 大学の にゅうがくしけんを うけました。
 2 大学の にゅうがくしけんを うけませんでした。
 3 大学に 入る ことが できました。
 4 大学の にゅうがくしけんに おちました。

【13】 店が うつりました。
 1 店の 名前が かわりました。
 2 店の ばしょが かわりました。
 3 店の しなものが かわりました。
 4 店が ふえました。

【14】 きかいが こしょうして います。
 1 きかいが なおりました。
 2 きかいを しゅうりしました。
 3 きかいが つかえます。
 4 きかいが こわれて います。

【15】 その ニュースは たしかです。
 1 その ニュースは ほんとうです。
 2 その ニュースを しりませんでした。
 3 その ニュースを はじめて 聞きました。
 4 その ニュースは ほんとうか どうか わかりません。

第4回 言い換え類義

日付	/	/	/
得点	/5	/5	/5

_____の ぶんと だいたい おなじ いみの ぶんが あります。1・2・3・4から いちばん いい ものを ひとつ えらんで ください。

【16】 おたくは どちらですか。
1 かいしゃは どこですか。
2 みせは どこですか。
3 いえは どこですか。
4 くには どこですか。

【17】 駅で 友だちと わかれました。
1 駅で 友だちに 「さようなら」と 言いました。
2 駅で 友だちに 「おはよう」と 言いました。
3 駅で 友だちに 「こんにちは」と 言いました。
4 駅で 友だちに 「げんき?」と 言いました。

【18】 しごとを つづけます。
1 しごとを 休みます。
2 しごとが おわります。
3 しごとを はじめません。
4 しごとを やめません。

【19】 あした 来るのは むりです。
1 あした 来るのは とても むずかしいです。
2 あした かならず 来ます。
3 あした 来ると おもいます。
4 あした 来るかも しれません。

【20】 きょうは くうきが とても ひえて います。
1 きょうは あついです。
2 きょうは あたたかいです。
3 きょうは さむいです。
4 きょうは すずしいです。

第5回 言い換え類義

日付	/	/	/
得点	/5	/5	/5

_____の ぶんと だいたい おなじ いみの ぶんが あります。1・2・3・4から いちばん いい ものを ひとつ えらんで ください。

【21】 上田さんに おいわいを 言いました。
   1 上田さんに 「おだいじに」と 言いました。
   2 上田さんに 「すみません」と 言いました。
   3 上田さんに 「おかげさまで」と 言いました。
   4 上田さんに 「おめでとう」と 言いました。

【22】 ふくが よごれました。
   1 ふくが 小さく なりました。
   2 ふくが 大きく なりました。
   3 ふくが きたなく なりました。
   4 ふくが きれいに なりました。

【23】 ひどい かぜが ふいて います。
   1 すずしい かぜが ふいて います。
   2 とても つよい かぜが ふいて います。
   3 よわい かぜが ふいて います。
   4 きもちが いい かぜが ふいて います。

【24】 先生が おっしゃいました。
   1 先生が 来ました。
   2 先生が 行きました。
   3 先生が 言いました。
   4 先生が 見ました。

【25】 一日 おきに そうじを します。
   1 二日に 一かい そうじを します。
   2 三日に 一かい そうじを します。
   3 一週間に 一かい そうじを します。
   4 毎日 そうじを します。

第1回 用法

つぎの ことばの つかいかたで いちばん いい ものを 1・2・3・4 から ひとつ えらんで ください。

【1】 へんじ
1 しゅっせきできるか どうか、へんじを ください。
2 かりた ものは はやく へんじを した ほうが いいです。
3 へやが きたないので へんじを して ください。
4 この もんだいの ただしい へんじは 3ばんです。

【2】 そだてる
1 わたしは 外国の 切手を そだてて います。
2 日本語の 勉強を ずっと そだてて います。
3 かのじょは 3人の 子どもを そだてて います。
4 そこに ごみを そだてては いけませんよ。

【3】 めずらしい
1 あれは めずらしい とりですね。はじめて 見ました。
2 めずらしい 国へ りょこうに 行きたいです。
3 その 人に 会った ことは ありません。めずらしい 人です。
4 クラスに めずらしい せいとが 入りました。

【4】 よてい
1 電話で 店の よていを しました。
2 わたしは しょうらい 大学の 先生に なる よていです。
3 じゅぎょうが よく わかる ように、いえで よていを します。
4 今年の なつやすみには 何を する よていですか。

【5】 すてる
1 いえに 入った どろぼうを すてました。
2 ふるい ものや いらない ものを ぜんぶ すてました。
3 お金を ひろったので、すぐ こうばんに すてました。
4 きょうは、いそがしい ははの しごとを すてました。

第2回 用法

日付	/	/	/
得点	/5	/5	/5

つぎの ことばの つかいかたで いちばん いい ものを 1・2・3・4から ひとつ えらんで ください。

【6】 きんじょ
1 この みせの 休みの 日は きんじょです。
2 くつの きんじょは 2かいに あります。
3 まいあさ きんじょを さんぽします。
4 タクシーの きんじょは どこですか。

【7】 見つかる
1 さがして いた さいふが 見つかって よかったです。
2 うちの ねこが いないので、いっしょに 見つかって ください。
3 ここは 店が たくさん 見つかって とても にぎやかです。
4 ここは うみが 見つかって、とても いい ところですね。

【8】 こまかい
1 うちには こまかい 子どもが 3人 います。
2 この きせつは はれる 日が 多くて、雨の 日は こまかいです。
3 その かみは こまかいけれど、じょうぶです。
4 こまかい お金が ありません。千円さつなら あります。

【9】 人口
1 わたしの かぞくの 人口は 4人です。
2 うんてんする ときは 人口を おこさない ように 気を つけましょう。
3 この まちの 人口は どんどん ふえて います。
4 ねる 前に 人口を よく みがいて ください。

【10】 あやまる
1 これから おせわに なるので、「よろしく」と あやまりました。
2 おせわに なった 人に 「ありがとう」と あやまりました。
3 友だちに しつれいな ことを 言って しまったので、「ごめんなさい」と あやまりました。
4 「しょくじに 行きませんか」と 友だちに あやまりました。

第3回 用法

日付	/	/	/
得点	/5	/5	/5

つぎの ことばの つかいかたで いちばん いい ものを 1・2・3・4 から ひとつ えらんで ください。

【11】 ようじ
1　りょうの ようじは もう できましたか。
2　ようじが はじまりますから、すぐに あつまって ください。
3　母は スーパーで ようじを して います。
4　ようじが あるので、先に しつれいします。

【12】 はこぶ
1　しまへ 行く 人は この ふねに はこんで ください。
2　この にもつを いえの 中に はこんで ください。
3　外国へ 行く ときは パスポートを はこんで ください。
4　毎日 子どもを 車で ようちえんへ はこんで います。

【13】 ふかい
1　あの ビルは 日本で いちばん ふかい たてものです。
2　さむい 日は ふかい セーターを きます。
3　この 川は ふかいから、およぐのは きけんです。
4　ふかい にもつを はこぶ ときは、車を つかいます。

【14】 おれい
1　けっこんの おれいに きれいな おさらを もらいました。
2　おせわに なった 中山さんに おれいの てがみを 書きました。
3　しょくじの あとに あまい おれいを 食べます。
4　りょうに 行くと、いつも かぞくに おれいを 買います。

【15】 やむ
1　ゆきが やみました。
2　くもが やみました。
3　空が やみました。
4　火が やみました。

第4回 用法

つぎの ことばの つかいかたで いちばん いい ものを 1・2・3・4 から ひとつ えらんで ください。

【16】 まんなか
1 あさの 電車の まんなかは とても こんで います。
2 この しゃしんの まんなかに いる 人は 田中さんです。
3 わたしは 山の まんなかに すんで います。
4 この まんなか、おもしろいので 読んで みませんか。

【17】 おれる
1 つよい かぜで 木の えだが おれて しまいました。
2 だいじな おさらが おれて しまいました。
3 たいふうで いえが おれて しまいました。
4 いとを つよく ひいたら おれて しまいました。

【18】 ていねい
1 うちの いぬは あたまが よくて、とても ていねいです。
2 わたしの 学校は スポーツが ていねいです。
3 社長の いえは 大きくて ていねいです。
4 この じしょは せつめいが ていねいです。

【19】 あじ
1 かのじょが つくる あじは おいしいです。
2 この くだものは どんな あじか、食べて みましょう。
3 この にくは あじが かたいです。
4 ずっと 立って いたので、あじが いたく なりました。

【20】 たまに
1 きのうの あさから たまに 雨が ふって いて、やみません。
2 さむい 日が つづきましたが、きょうは たまに あたたかく なりました。
3 えいがは あまり 見ませんが、たまに 見に 行く ことも あります。
4 月よう日から 土よう日まで たまに はたらいて います。

第5回 用法

つぎの ことばの つかいかたで いちばん いい ものを 1・2・3・4から ひとつ えらんで ください。

【21】 じこ
1 わからない ことばが あったら、じこを 見ます。
2 きのう けっせきした じこを 話して ください。
3 きのう ここで 車の じこが ありました。
4 もっと 大きい じこで 書いて ください。

【22】 わらう
1 どうぞ その いすに わらって ください。
2 この シャツは わらって ありますか。
3 さらを おとして、わらって しまいました。
4 なかないで わらって ください。

【23】 ひま
1 あさ はやいので、まちは まだ ひまです。
2 電車は ひまでしたから、すわれました。
3 今週は しごとが ないので、ひまです。
4 きょうは 雨が ふりそうですから、かさが ひまです。

【24】 みなと
1 わたしの 国は 日本の みなとに あります。
2 みなとで 大きい ふねを 見ました。
3 いえに 入る ときは みなとで くつを ぬいで ください。
4 車を スーパーの みなとに とめて 買いものを しました。

【25】 さいきん
1 さいきん 父の からだの ぐあいが よく ありません。
2 さいきん いっしょに しょくじを しませんか。
3 さいきん ごはんを 食べた ばかりなので、まだ おなかが いっぱいです。
4 さいきん 電車が 来ますから、下がって おまちください。

文法 【Grammar】

文の文法1　　　第1回 - 第3回
文の文法2　　　第1回 - 第4回
文章の文法　　　第1回 - 第4回

第1回
文の文法1

日付	/	/	/
得点	/15	/15	/15

（　）に 何を 入れますか。1・2・3・4から いちばん いい ものを 一つ えらんで ください。

【1】 この ケーキは 一つ 800円（　　）します。
　　 1　と　　　　2　で　　　　3　に　　　　4　も

【2】 この にもつの（　　）は 何キロですか。
　　 1　重い　　　2　重さ　　　3　重く　　　4　重いの

【3】 この 料理は かんたんですから、子ども（　　）作れますよ。
　　 1　とか　　　2　しか　　　3　でも　　　4　だけ

【4】 すみません。ちょっと 用事が ある（　　）、先に 帰ります。
　　 1　のに　　　2　ので　　　3　と　　　　4　なら

【5】 今朝の 天気よほうに よると、大きい 台風が 来る（　　）。
　　 1　ところだ　2　ときだ　　3　はずだ　　4　そうだ

【6】 子どもの とき、カメラを こわして 父に（　　）。
　　 1　しかった　2　しかられた　3　しからせた　4　しかれた

【7】 子どもたち、しずかに なりましたね。ねた（　　）ですね。
　　 1　そう　　　2　ほう　　　3　よう　　　4　だろう

【8】 今月に 入って から 急に 寒く なって（　　）が、お元気ですか。
　　 1　いきます　2　いきました　3　きます　　4　きました

【9】 A「え、会社、やめたいの?」
　　　 B「(　　)ことは　言って　いないよ。仕事が　いそがしくて　たいへんだと　言ったんだよ。」
　　　1　あんな　　　2　そんな　　　3　こんな　　　4　どんな

【10】 社長は　何時ごろ　(　　)でしょうか。
　　　1　帰りなさる　2　帰れられる　3　帰りする　　4　お帰りに　なる

【11】 長い　時間　(　　)つづけて　いるのは　体に　よくない。
　　　1　すわり　　　2　すわって　　3　すわる　　　4　すわった

【12】 A「トムさんの　ネクタイ、いいですね。」
　　　 B「あれは　トムさんの　誕生日に　わたしが　(　　)ものです。」
　　　1　もらった　　2　くれた　　　3　あげた　　　4　やった

【13】 A「毎日　暑いですね。」
　　　 B「ええ。でも、去年の　夏(　　)暑くないですね。」
　　　1　でも　　　　2　も　　　　　3　ほど　　　　4　など

【14】 じこの　(　　)電車が　止まって　います。
　　　1　ために　　　2　ように　　　3　はずで　　　4　だから

【15】 兄は、イギリスに　りゅうがくした　(　　)、英語が　うまくない。
　　　1　ように　　　2　ために　　　3　ので　　　　4　のに

第2回
文の文法1

日付	/	/	/
得点	/15	/15	/15

（　　）に 何を 入れますか。1・2・3・4から いちばん いい ものを 一つ えらんで ください。

【16】 雨が （　　）かも しれないから、かさを 持って 出かけよう。
　　1　ふる　　　　2　ふり　　　　3　ふった　　　4　ふって

【17】 出発は 9時ですから、8時50分（　　）集まって ください。
　　1　までに　　　2　まで　　　　3　しか　　　　4　でも

【18】 かれは わたしが 作る 料理を 食べる（　　）で、自分で 作った ことが ない。
　　1　ぐらい　　　2　より　　　　3　だけ　　　　4　から

【19】 この ナイフは パンを 切る（　　）使います。
　　1　ので　　　　2　のが　　　　3　のを　　　　4　のに

【20】 A「にもつ、重そうですね。（　　）。」
　　　B「すみません。ありがとうございます。」
　　1　お持ちに なりますか　　　　2　お持ちください
　　3　お持ちに なって ください　　4　お持ちしましょう

【21】 うちでは 子どもに そうじや せんたくを （　　）います。
　　1　できて　　　2　させて　　　3　して　　　　4　されて

【22】 この 会社では みんなが 英語を 話すので、日本語が （　　） かまわない。
　　1　できたら　　　　　　　　　2　できると
　　3　できなくても　　　　　　　4　できなければ

【23】きゃく「すみません。この　スカート、はいて　（　　）たいんですが。」
店員　「はい。どうぞ、こちらへ。」
1　しまい　　　　2　み　　　　　3　もらい　　　　4　おき

【24】みなさん、わたしが　やりますから　見て　ください。はじめに　（　　）
やって　手を　前に　出します。
1　どう　　　　　2　こう　　　　3　そう　　　　　4　ああ

【25】鳥に　なって　空を　とぶ　ゆめを　見る　（　　）。
1　ことを　する　2　ことに　する　3　ことに　なる　4　ことが　ある

【26】国に　帰ったら　日本語を　教える　仕事を　（　　）と　思います。
1　して　くる　　2　して　おく　　3　しよう　　　　4　したら

【27】A「田中さん、おそいですね。」
B「この　映画を　ぜひ　見たいと　言って　いましたから、来る
（　　）。もう　少し　待ちましょう。」
1　はずです　　　2　からです　　　3　ほどです　　　4　ばかりです

【28】これ、（　　）やすい　ペンだね。もう　1本　買おう。
1　書き　　　　　2　書いて　　　　3　書く　　　　　4　書いた

【29】道が　わからなくて　こまって　いたら、近くに　いた　人が　教えて
（　　）。
1　あげた　　　　2　もらった　　　3　くれた　　　　4　やった

【30】赤い　かさですか。赤い　かさ　（　　）ここに　ありますよ。
1　など　　　　　2　とか　　　　　3　たら　　　　　4　なら

第3回 文の文法1

（　）に 何を 入れますか。1・2・3・4から いちばん いい ものを 一つ えらんで ください。

【31】 れいぞうこに りんご（　　）バナナ（　　）、くだものが いろいろ 入れて あります。
1　など／など　　2　たり／たり　　3　とか／とか　　4　と／と

【32】 りゅうがくしたいので、今の 仕事を やめる（　　）しました。
1　ために　　2　はずに　　3　ことに　　4　ほうに

【33】 弟は もうすぐ 試験が あるのに、毎日 ゲーム（　　）して あそんで います。
1　でも　　2　ばかり　　3　まで　　4　しか

【34】 田中さんは 明るい（　　）、みんなに 親切だから 友だちが 多い。
1　ので　　2　で　　3　から　　4　し

【35】 いらっしゃいませ。どうぞ お（　　）ください。
1　入って　　2　入り　　3　入る　　4　入れ

【36】 漢字が（　　）この 仕事は できません。
1　読まれないと　　　　2　読ませないと
3　読めないと　　　　　4　読まないと

【37】 どうぞ くつを（　　）まま お入りください。
1　はいて　　2　はいた　　3　はく　　4　はき

【38】あ、いけない。また ねぼうを して（　　）。
1　きた　　　　2　おいた　　　　3　いった　　　　4　しまった

【39】いくら たのまれても、この カメラは 貸して（　　）。
1　あげない　　2　あげる　　　　3　あげた　　　　4　あげよう

【40】A「今夜の 食事、（　　）？」
　　B「ぼくは イタリア料理が いいな。」
1　何に する　　　　　　　　2　何に なる
3　いつに する　　　　　　　4　どう なる

【41】今朝から おなかが いたい。ゆうべ 食べ（　　）ようだ。
1　はじめた　　2　だした　　　3　つづけた　　　4　すぎた

【42】試験を うけなかった 学生は レポートを（　　）ならない。
1　書かなければ　2　書ければ　3　書かなくて　4　書かされて

【43】ケーキが やけました。おいしい（　　）食べて みて ください。
1　が　　　　2　かとか　　　3　どうか　　　4　かどうか

【44】A「今 どこですか。」
　　B「そちらに むかって（　　）ところです。もうすぐ 着きます。」
1　歩いた　　　　　　　　　2　歩いて いる
3　歩く　　　　　　　　　　4　歩いて

【45】どうろが こんで いるから、タクシーより 電車の（　　）が いいと 思います。
1　ほう　　　2　もの　　　3　こと　　　4　だけ

第1回 文の文法2

日付	/	/	/
得点	/5	/5	/5

___★___ に 入る ものは どれですか。1・2・3・4から いちばん いい ものを 一つ えらんで ください。

【1】 A「あの人、知って いるんですか。」
　　 B「ええ、前に かさを ____ ____ ★ ____ あります。」
　　 1　もらった　　2　が　　3　貸して　　4　こと

【2】 今夜は 寒く ____ ____ ★ ____ いいですよ。
　　 1　出かけない　2　なり　　3　ほうが　　4　そうだから

【3】 A「ここで たばこを ____ ____ ★ ____ 知って いるでしょう？」
　　 B「はい。すみません。」
　　 1　ことを　　2　いけない　　3　すっては　　4　と いう

【4】 A「うちの 子、外で ____ ____ ★ ____ なんです。」
　　 B「あ、うちの 子も 同じです。」
　　 1　ので　　2　あそび　　3　しんぱい　　4　たがらない

【5】 家を ____ ____ ★ ____ 母から 電話が かかって きた。
　　 1　した　　2　に　　3　とき　　4　出ようと

第2回 文の文法2

日付	/	/	/
得点	/5	/5	/5

___★___に 入る ものは どれですか。1・2・3・4から いちばん いい ものを 一つ えらんで ください。

【6】 先生に 教えて ___ ___ _★_ ___ します。

　1　わすれない　　2　ことを　　　3　ように　　　4　いただいた

【7】 A「ヤンさん、そつぎょうしたら どう するんでしょうね。」
　　 B「帰国して お父さんの 会社で ___ ___ _★_ ___ いますよ。」

　1　つもりだ　　　2　と　　　　　3　言って　　　4　働く

【8】 A「あ、ガラスが ___ ___ _★_ ___ ね。」
　　 B「ええ。ちょっと、見て きます。」

　1　音が　　　　　2　われた　　　3　しました　　4　ような

【9】 つまの ___ ___ _★_ ___ しまった。

　1　わすれて　　　2　おこらせて　3　誕生日を　　4　つまを

【10】 旅行会社の 店員「大阪まで、ひこうきと しんかんせん ___ ___ _★_ ___ か。」
　　 きゃく「しんかんせんで お願いします。」

　1　で　　　　　　2　行かれます　3　どちら　　　4　と

第3回
文の文法2

日付	/	/	/
得点	/5	/5	/5

___★___ に 入る ものは どれですか。1・2・3・4から いちばん いい ものを 一つ えらんで ください。

【11】 A「わたしが 知らない 人に 家の かぎの ＿＿＿ ＿＿＿ ___★___ ＿＿＿ ありませんよ。」
　　　 B「そうですよね。」
　1　教える　　　2　はずが　　　3　方を　　　4　開け

【12】 A「山田さんたちの ミーティング、まだ 終わらないんですか。」
　　　 B「ええ、問題が ＿＿＿ ＿＿＿ ___★___ ＿＿＿ ですよ。」
　1　すぎて　　　2　らしい　　　3　たいへん　　　4　多

【13】 A「大川先生の 60さいの おたんじょう日の プレゼントは もう きまりましたか。」
　　　 B「はい。みんなで 先生が ＿＿＿ ＿＿＿ ___★___ ＿＿＿ なりました。」
　1　バラの 花を　　　　　　　2　お好きな
　3　ことに　　　　　　　　　　4　さしあげる

【14】 A「あしたは 休日だから、仕事、休みでしょう？」
　　　 B「いや、今月は 休日 ＿＿＿ ＿＿＿ ___★___ ＿＿＿ んです。」
　1　でも　　　2　ならない　　　3　行かなければ　　　4　会社に

【15】 きっぷを 持って ＿＿＿ ＿＿＿ ___★___ ＿＿＿ できません。
　1　入る　　　2　と　　　3　ことが　　　4　いない

第4回 文の文法2

日付	/	/	/
得点	/5	/5	/5

____★____に 入る ものは どれですか。1・2・3・4から いちばん いい ものを 一つ えらんで ください。

【16】 おなかが いっぱいで ____ ____ ★ ____ ですよ。
　　1　なら　　　　　　　　　　2　いい
　　3　食べなくても　　　　　　4　食べられない

【17】 夜まで ____ ____ ★ ____ いやだ。
　　1　させられる　　2　を　　　3　仕事　　　4　のは

【18】 A「来月　フランスへ　行く　そうですね。」
　　　B「はい。ことばが ____ ____ ★ ____ 思って、今 フランス語を 勉強して います。」
　　1　わかったら　2　だろう　　3　楽しい　　4　と

【19】 A「今夜、時間が ____ ____ ★ ____ か。」
　　　B「すみません。今夜は ちょっと。」
　　1　でも　　　　2　食事　　　3　あれば　　4　しません

【20】 A「おはようございます。早いですね。」
　　　B「はい。かちょうに 今朝の ____ ____ ★ ____ い ますから。」
　　1　ように　　　2　会議に　　3　言われて　　4　おくれない

第1回 文章の文法

日付	/	/	/
得点	/5	/5	/5

1 から 5 に 何を 入れますか。文章の 意味を 考えて、1・2・3・4から いちばん いい ものを 一つ えらんで ください。

わたしと 姉は 東京で 働いて います。二人で いっしょに 住んで います。今まで わたしたちは 朝 起きるのが おそく なって、何も ［1］ 会社へ 出かける ことが よく ありました。昼ご飯も ばんご飯も 食べる 時間が きまって いませんでしたし、食べない ［2］。こんな せいかつは 体に よく ないと 思って いましたが、わたしたちは せいかつを かえる ことが できませんでした。

　［3］ 先月 姉が 病気に なって 入院しました。たいいんする とき、お医者さんは わたしたちに 毎日 朝ご飯を 食べる ように と 言いました。

　姉が たいいんしてから、わたしたちは 朝 早く 起きて いっしょに 朝ご飯を 食べる ［4］。今 わたしたちは とても 元気です。毎日 しっかり 食事を する ことが 大切だ ［5］ よく わかりました。

1

1　食べて　　　2　食べなくて　　3　食べずに　　4　食べに

2

1　ことに　なりました　　　　2　ことが　ありませんでした
3　ことに　しました　　　　　4　ことも　ありました

3

1　とうとう　　2　やっと　　3　どんどん　　4　そろそろ

4

1　ように　なりました　　　　2　ところでした
3　ように　されました　　　　4　だろうと　思いました

5

1　の　はずが　　　　　　　　2　と　いう　ことが
3　か　どうかが　　　　　　　4　と　いう　ことで

第2回 文章の文法

日付	/	/	/
得点	/5	/5	/5

6 から 10 に 何を 入れますか。文章の 意味を 考えて、1・2・3・4から いちばん いい ものを 一つ えらんで ください。

お花見の 会の お知らせ

3月に 入って 6   あたたかく なって きました。もうすぐ さくらの 花が 7 。

今年も 山下こうえんで お花見の 会を 8 。みんなで いっしょに さくらの 花を 見ながら、食べたり、飲んだり しませんか。 9 できる、楽しい ゲームも やりましょう。

去年は 200人も 集まりました。とちゅうで 雨が 10 が、帰らないで 雨の 中で お花見を 楽しんで いる 人も たくさん いました。

今年も 山下こうえんで 会いましょう。

3月30日 10時に 山下こうえんの 門の 前に 来て ください。

大川市 市民センター・木村　TEL 06× ××××

6

1 なかなか　　2 だんだん　　3 ほとんど　　4 ぜんぜん

7

1 さいて います　　　　　　2 さいた だろう と 思(おも)います
3 さきそうです　　　　　　　4 さいた ようです

8

1 して おきます　　　　　　2 する ように します
3 する らしいです　　　　　　4 する ことに なりました

9

1 だれでも　　2 だれも　　3 なんでも　　4 なにも

10

1 ふりつづけました　　　　　2 ふりだしました
3 ふりおわりました　　　　　4 ふりすぎました

第3回 文章の文法

日付	/	/	/
得点	/5	/5	/5

11 から 15 に 何を 入れますか。文章の 意味を 考えて、1・2・3・4から いちばん いい ものを 一つ えらんで ください。

　みなさんに わたしが 見つけた べんりな ものを しょうかいします。
　みなさんの まわりに、テレビの 音が 11 こまって いる 方は いらっしゃいませんか。これは、そんな 方の ために 12 。これを 耳に つければ、テレビの 音も、遠くで 話して いる 人の 声も よく 聞こえます。イヤリング 13 かたちで、小さくて かるいので、長い 時間 つけて いても 気に なりません。 14 ぬれても だいじょうぶです。つけた まま シャワーを 15 。
　ご家族や お友だちに プレゼントすれば、きっと よろこんで もらえると 思います。

11
1　聞こえやすくて　　　　　2　聞こえにくくて
3　聞こえはじめて　　　　　4　聞こえすぎて

12
1　作られました　　　　　　2　作りました
3　作れました　　　　　　　4　作らせました

13
1　らしい　　2　そうな　　3　のような　　4　ほどの

14
1　それで　　2　それでも　　3　それほど　　4　それに

15
1　あびても　かまいません　　2　あびなくては　いけません
3　あびなければ　なりません　　4　あびては　いけません

第4回 文章の文法

16 から 20 に 何を 入れますか。文章の 意味を 考えて、1・2・3・4から いちばん いい ものを 一つ えらんで ください。

まりさん、お元気ですか。
わたしは これから しんかんせんで 京都へ 16 。
大学の 先生が 京都の 写真を 17 。とても きれいな 町だと 思いました。京都には 木の 建物が たくさん あって、1000年以上も 前に 建てられた ものも ある そうですね。わたしは 18 古い 木の 建物は 見た 19 ので、ぜひ 見て みたいと 思って います。
ひさしぶりに 20 楽しみに して います。
京都に 着いたら、また メールを 送ります。

16
1 行く ところです　　　　2 行った ところです
3 行って いる ところです　　4 行って きた ところです

17
1 見て くださいました　　　2 見て いただきました
3 見せて くださいました　　4 見せて さしあげました

18
1 こんな　　2 そんな　　3 どんな　　4 あんな

19
1 ばかりな　　　　2 らしい
3 ものに なる　　4 ことが ない

20
1 会うのが　　2 会うのを　　3 会うまでに　　4 会ったら

読解 【Reading】

内容理解（短文）　第1回 - 第2回
内容理解（中文）　第1回 - 第3回
情報検索　　　　　第1回 - 第3回

第1回 内容理解 短文

つぎの文章を読んで、質問に答えてください。答えは、1・2・3・4から、いちばんいいものを一つえらんでください。

1番

洋子さんの机の上にこのメモとおかしの入った箱があります。

洋子さん

このおかしは旅行のおみやげです。どうぞめしあがってください。洋子さんはお酒を飲みませんよね。でも、ご主人はどうですか。もし、ワインがお好きなら、旅行で買ってきたワインを明日持ってきます。お好きかどうか、お返事はメールでお願いします。

友子

【1】 洋子さんは、この後、何をしますか。

1　メールを送ります。
2　メールを待ちます。
3　ワインを買います。
4　ワインをもらいます。

2番

これは、ある日の日記です。

7月10日

　今日は、朝起きたとき、空が晴れていたので、洗濯をした。でも、昼前に黒い雲が出てきた。雨が降りそうだったので、洗濯したものを、急いで家の中に入れた。しかし、雨は少ししか降らなかった。午後、急に風が強くなった。今は、もう暗くなったけれど、明るい月が出ていて、星もたくさん見える。

【2】　この日の天気はどうでしたか。

1　一日中いい天気でした。
2　雨は降りませんでした。
3　変わりやすい天気でした。
4　午後から天気が悪くなりました。

3番

これはたろうさんが書いた手紙です。

マリオさん

　お元気ですか。もうすぐ夏休みですね。休みの間の計画はもう立てましたか。前に会ったとき、マリオさんはわたしの家に来たいと言っていましたね。もしひまがあれば、わたしの町へ遊びに来ませんか。わたしの町は山が近いし、川もあります。空気がきれいです。わたしの家は古くて、りっぱではありませんが、広いです。どうぞ何日でも泊まってください。山に登ることもできるし、川で魚をつるのも楽しいですよ。もし来るなら、あとで地図を送ります。ぜひ来てください。楽しみにしています。

　　　　　　　　　　　　　　　　　　　　本田たろう

【3】　たろうさんは何のためにこれを書きましたか。

1　町を紹介するため
2　旅行の相談をするため
3　地図を送るため
4　家に招待するため

4番

　田村さんは「おもちゃ病院」で働いています。「おもちゃ病院」はおもちゃを直すところです。田村さんのところには毎日子どもたちがこわれたおもちゃを持ってきます。田村さんはおもちゃを直すとき、子どもたちにお医者さんのように話します。そして、子どもたちに、「君たちはこのおもちゃのお父さん、お母さんだよ。だから、おもちゃを大事にしてください。」と言います。おもちゃを直しながら、楽しい話をしたり、歌を歌ったりもします。田村さんは子どもたちに優しい人になってほしいと思っています。

【4】　田村さんはどんな仕事をしていますか。

　1　子どもに話をしたり歌を教えたりします。
　2　子どもの世話をします。
　3　子どもとおもちゃで遊びます。
　4　子どものおもちゃを直します。

第2回 内容理解 短文

日付	/	/	/
得点	/4	/4	/4

つぎの文章を読んで、質問に答えてください。答えは、1・2・3・4から、いちばんいいものを一つえらんでください。

5番

美術館の前のタクシーの乗り場に、このお知らせがあります。

お知らせ

タクシーを利用するみなさまへ

　来月1日から31日まで、さくら美術館の入り口のドアを直します。
　その間、タクシー乗り場は美術館の入り口から100メートル南になります。
　しばらくの間、よろしくお願いします。

さくら美術館

【5】 このお知らせを見てわかることは何ですか。

1　来月1か月間タクシーの乗り場が変わる。
2　来月からタクシーの乗り場が変わる。
3　来月からタクシーの乗り場がなくなる。
4　来月から美術館の入り口の場所が変わる。

6番

これは、中村さんからアンナさんに届いたメールです。

アンナさん

体の具合はどうですか。熱は下がりましたか。
今日の山田先生の授業のノートを今度会ったときに貸します。明日授業に出られるなら、メールをください。ノートを持って行きます。日本文学は、テストはありませんがレポートを出さなければなりません。レポートのテーマは、会ったときに説明します。

中村

【6】 アンナさんは、中村さんに会ったとき何をしますか。

1　メールを送って、ノートを貸してもらいます。
2　ノートを借りて、レポートの説明を聞きます。
3　ノートを貸して、レポートの説明をします。
4　ノートを返して、レポートを出します。

7番

わたしの家の近くに海岸があります。この海岸には、毎年夏になるとおおぜいの人が来ます。海岸で遊んでいる人の声や音楽がわたしの家まで聞こえてきます。わたしは夏の海岸はうるさくて困ると思っていました。しかし、今年の夏は天気が悪いので、海岸は人が少なくて、静かです。楽しそうに笑ったり、遊んだりしている人もいません。こんなさびしい海岸は夏の海岸らしくありません。さびしい海岸を見ていたら、わたしの考えも変わりました。夏の海岸は人が多いほうがいいと思うようになりました。

【7】 この文章を書いた人は、今どう思っていますか。

1 海岸は静かなほうがいい。
2 海岸はにぎやかなほうがいい。
3 夏の海岸はうるさくて困る。
4 海岸で遊ぶのはやめてほしい。

8番

　子どものとき、乗っていた自転車が倒れてひどいけがをした。そのときからわたしは自転車に乗るのをやめた。今年の夏休みに家族で旅行をしたとき、息子が「ねえ、お父さん、自転車を借りてサイクリングをしようよ。」と言った。そのときわたしは、「自転車には乗れないよ。長い間乗っていないから。」と答えた。しかし、息子が借りた自転車に乗ってみたら、それは間違いだったとわかった。昔と同じように乗れたからだ。今年の夏は、息子と一緒にサイクリングをして休みを楽しむことができた。

【8】　それは間違いだったとわかったとありますが、「それ」とはどんなことですか。

　　1　自転車に乗れないと思ったこと
　　2　自転車に乗ってみたこと
　　3　長い間自転車に乗らなかったこと
　　4　息子とサイクリングをすること

第1回 内容理解 中文

日付	/	/	/
得点	/4	/4	/4

つぎの文章を読んで、質問に答えてください。答えは、1・2・3・4から、いちばんいいものを一つえらんでください。

　最近、病気にならないように注意しようと思う人が増えています。でも、その気持ちが強い人は、「これは体にいいですよ。」と言われたものを、よく考えないで買ってしまうことが多いようです。わたしの母もその一人です。母は町を歩いているときに、知らない男の人から「奥さま、ちょっとよろしいですか。」と言われました。「何ですか。」と聞くと、その人は母に「奥さまはお元気そうですけど、これからもずっと元気でいるために、毎日これをお飲みになるとよろしいですよ。」と、とてもていねいに言いました。そして、「ケンコー茶」というお茶を紹介しました。男の人の説明を聞いて、母は、そのお茶は値段は安くないけれど、ほんとうに体によさそうだと思いました。それで、お茶を買うことにしました。「品物は、今週中におたくに届きます。」と男の人は言いました。男の人と別れてから、母は①お金を送りました。でも、10日待っても品物が来ないので、そのお茶の会社に電話をかけました。しかし、いつも留守で、連絡できません。母は「お金をとられてしまった。」と言って②怒っています。

【1】 男の人は何をしましたか。

　　1　お茶の説明を聞きました。
　　2　お茶を送りました。
　　3　お茶を紹介しました。
　　4　お茶を飲ませました。

【2】 男の人は、「ケンコー茶」がどんなお茶だと言いましたか。

　　1　病気が治るお茶
　　2　おいしいお茶
　　3　値段が安いお茶
　　4　体にいいお茶

【3】 ①お金を送りましたとありますが、どうしてですか。

　　1　お茶が体によさそうだと思ったから
　　2　お茶の値段が安いと思ったから
　　3　男の人が元気そうだったから
　　4　男の人の言い方がていねいだったから

【4】 ②怒っていますとありますが、どうしてですか。

　　1　お茶の値段がとても高かったから
　　2　お金を送ったのに品物が来ないから
　　3　品物が来るのに10日もかかったから
　　4　会社の人が電話をしてくれないから

つぎの文章を読んで、質問に答えてください。答えは、1・2・3・4から、いちばんいいものを一つえらんでください。

　わたしの趣味は旅行だ。休みが近くなると、どこへ出かけようかと考える。学生のときは、お金がなかったから、自転車で旅行したり、友だちの家に泊めてもらったりした。でも、わたしはずっと、外国に行きたい、特に、アメリカやヨーロッパに行きたいと思っていた。だからアルバイトをして、卒業の前にアメリカへ行った。でも、外国旅行はそのときだけだった。
　今年の春に会社で働き始めてからは、お金の問題より時間の問題のほうが大きくなった。長い休みはとれないから、外国旅行は今もやはり難しい。それで、5月の休みには沖縄へ行った。この旅行で、わたしは大切な経験をした。珍しい食べ物や初めて見る花や木、初めて聞くことばのアクセントなど、自然も文化も、わたしが住んでいるところとはずいぶん違う。考えてみると、自分の国の中でも、行ったことがある所は少なくて、知らない所のほうがずっと多い。だから、時間とお金をたくさん使って外国へ行く前に、まず自分の国をよく知りたい。沖縄から帰って、わたしはそう思うようになった。わたしはこれから、自分の国を知るための旅行をしようと思っている。

【5】 学生のときはどこへ旅行に行きましたか。

　　1　外国へ何回も行きました。
　　2　一度だけ外国へ行きました。
　　3　国内の知らない所にだけ行きました。
　　4　アメリカやヨーロッパに行きました。

【6】 今の問題はどんなことだと言っていますか。

　　1　仕事が忙しいこと
　　2　お金があまりないこと
　　3　会社で働いていること
　　4　長い休みがとれないこと

【7】 これからどんな旅行をしたいと思っていますか。

　　1　知らない所へ行く国内の旅行
　　2　大切な経験ができる外国旅行
　　3　知らない所へ行く外国旅行
　　4　お金をあまり使わない国内の旅行

【8】 そう思うようになったとありますが、今どう思っていますか。

　　1　外国を旅行すると大切な経験ができる。
　　2　外国へ行っても大切な経験はできない。
　　3　外国へ行くより国内を旅行したい。
　　4　外国へ行くには時間とお金が必要だ。

第3回 内容理解 中文

つぎの文章を読んで、質問に答えてください。答えは、1・2・3・4から、いちばんいいものを一つえらんでください。

　川上さんは東京の近くの町で野菜を作っています。川上さんは若いとき、歌手になりたいと思っていました。両親は広い畑で①野菜を作っていましたが、川上さんは東京でアルバイトをしながら、歌の勉強をしていました。25歳のとき、両親が事故で亡くなりました。川上さんは②両親が野菜を作っていた畑を売ろうと思いました。すると、③近所の人が来て、「ここは普通の畑ではない。ここにはあなたの両親が作ったいい土がある。ここを売ったら、家が建ってしまうだろう。この畑を売らないでほしい。」と言いました。川上さんは、お父さんが「薬を使わないで作った野菜は形はよくない。でも、みんながおいしくて体にいいと喜んでくれる。」と言っていたのを思い出しました。川上さんは人を喜ばせる仕事をしたいと思っていましたが、おいしい野菜を作ることも人を喜ばせることだと思うようになりました。そして、④歌の勉強をやめて、野菜作りを始めました。今、川上さんの作った野菜はおいしくて体にいいので、人気があります。東京のレストランの人たちも買いに来ます。

【9】両親はどんな①野菜を作っていましたか。

1　形がよくて、おいしくて、体にいい野菜
2　おいしくて、体にいい野菜
3　形がよくて、おいしい野菜
4　おいしくて、薬になる野菜

【10】②両親が野菜を作っていた畑を売ろうと思いましたとありますが、どうしてですか。

1　両親を思い出すから
2　普通の畑ではないから
3　歌手になる勉強をしていたから
4　東京で仕事をしていたから

【11】③近所の人が言いたいことは何ですか。

1　野菜を作り続けてほしい。
2　両親ががんばったことを知ってほしい。
3　近所に家を建てないでほしい。
4　この畑を売ってほしい。

【12】④歌手の勉強をやめて、野菜作りを始めましたとありますが、どうしてですか。

1　両親と同じ仕事をしたいと思ったから
2　歌手になるより野菜を作るほうが楽だと思ったから
3　安全な野菜を作ることが大切だとわかったから
4　人を喜ばせることができると思ったから

日付	/	/	/
得点	/2	/2	/2

第1回 情報検索

右のページの「『いろいろな国の文化を楽しむ会』のお知らせ」を見て、下の質問に答えてください。答えは1・2・3・4から、いちばんいいものを一つえらんでください。

【1】 タンさんとミンさんは前田市の隣の町に住んでいます。二人は着物を着たいと思っています。二人でいくら払わなければなりませんか。

1　400円
2　700円
3　1,000円
4　1,400円

【2】 マリアさんは、土曜日は毎週午後2時から1時間、同じ国際センターの別の部屋で子どもたちに英語を教えています。マリアさんが出られるのは何日ですか。

1　5月5日と5月19日
2　5月19日と5月26日
3　5月5日と5月12日と5月26日
4　5月5日と5月19日と5月26日

「いろいろな国の文化を楽しむ会」のお知らせ

　前田市では、毎週土曜日に「いろいろな国の文化を楽しむ会」を行っています。

　いろいろな国の文化を楽しんだり、自分の国の文化を紹介したりしてください。5月は「日本の文化」です。

	テーマ	すること	時間	お金*
5月5日	日本の料理を作る。	すしを作って、食べます。	10:00～13:00	500円
5月12日	日本の景色をとる。	バスで川田村へ行って、山や川や村の生活の写真をとります。昼は村の人が作った料理をいただきます。	9:00～16:00	800円
5月19日	日本のお茶を飲む。	「茶道」の茶の入れ方と飲み方を紹介します。	10:00～12:00	300円
5月26日	日本の着物を着る。	着物を着て、写真をとります。2回やりますので、都合のいい時間を選んでください。	1回目 13:00～15:00　2回目 16:00～18:00	200円

＊前田市に住んでいない方は、500円高くなります。

①4月15日までに前田市国際センターに電話かメールで申し込んでください。
②お金は郵便局で払ってください。一度払われたお金は返しません。

前田市国際センター　電話：012－XXXX　メール：maeda-kokusai@……

第2回 情報検索

日付	/	/	/
得点	/2	/2	/2

右のページの「ガス・メーターの取り替えのお知らせ」を見て、下の質問に答えてください。答えは1・2・3・4から、いちばんいいものを一つえらんでください。

【3】 ラマさんは大学生です。月曜日から金曜日まで毎日大学へ行きます。帰る時間は7時ごろです。土曜日の午前9時から午後6時までと、日曜日の午前中はマンションの隣のコンビニでアルバイトをしています。ラマさんが〇を付けられる日時はいくつありますか。

1　1つ
2　2つ
3　3つ
4　4つ

【4】 大山さんは10月8日から2週間旅行に行く予定です。何をしなければなりませんか。

1　表に〇×を書いて、管理人室の前のポストに入れる。
2　表に〇×を書いて、サービスセンターに送る。
3　サービスセンターに電話する。
4　かぎを管理人に預ける。

やよいマンションのみなさまへ

ガス・メーターの取り替えのお知らせ

　来月、みなさまのお部屋のガス・メーターを新しいものに取り替えることになりました。取り替えるときはお部屋の中に入りますので、ご都合のいい日と時間をお知らせください。

- ◆ 取り替えを行う日： 10月10日～10月20日
  　　　　　　　　　土曜日、日曜日も行います。
- ◆ ガス・メーターを取り替えるのにかかる時間は30分ぐらいです。
- ◆ 下の表のご都合のいい日時に〇、ご都合の悪い日時に×をつけて、9月20日までに、管理人室の前のポストに入れてください。ご都合のいい日時の中から取り替えをする日を決めて、お知らせします。
- ◆ 留守の場合、取り替えはできません。必ず部屋にいてください。
- ◆ かぎをほかの人に預けないでください。
- ◆ どの日時も都合の悪い方は、サービスセンターにお電話をください。

部屋番号：＿＿＿＿＿＿　　お名前：＿＿＿＿＿＿＿＿＿＿様

10月	10	11	12	13	14	15	16	17	18	19	20
	月	火	水	木	金	土	日	月	火	水	木
9:00～11:00											
11:00～12:00											
13:00～15:00											
15:00～17:00											

南日本ガス・サービスセンター　田中　電話：０１２－３４×××

第3回 情報検索

日付	/	/	/
得点	/2	/2	/2

右のページの「サマー・ボランティアのご案内」を見て、下の質問に答えてください。答えは1・2・3・4から、いちばんいいものを一つえらんでください。

【5】 このボランティアをやりたい人は、まずどうしますか。

1　市役所へ行く。
2　郵便局へ行く。
3　FAXを送る。
4　電話で申し込む。

【6】 山下さんは、小学生の息子と一緒にサマー・ボランティアに行きたいと思っています。息子は7月31日まで水泳教室に通うので行くことはできません。山下さんは火曜日と水曜日は仕事があるので行くことができません。二人が一緒に行けるのはいつですか。

1　8月3日と8月4日
2　8月4日と8月5日
3　8月5日と8月6日
4　8月6日と8月7日

サマー・ボランティアのご案内

今年も、7月25日（月）から8月7日（日）まで、市内のいろいろなところで「サマー・ボランティア」を行います。みなさん、この夏は新しい経験をしてみましょう。

◇**申し込み　6月18日〜7月8日**

申込書に必要なことを書いて、FAXか郵便で送ってください。申込書は市民センター（市役所2階）にあります。電話での申し込みはできません。

		活動（すること）	日・時間	場所
①	A	子どもと一緒に遊ぶ	7月25日（月） 8月 2日（火）	さくら保育園
	B	子どもと一緒に運動する	7月26日（火） 8月 3日（水）	みどり運動公園
②	A	目の悪い人に本を読んであげる	7月27日（水） 8月 4日（木）	ケアセンター みどりの家
	B	耳の悪い人に、話されたことを書いて伝える	7月28日（木） 8月 5日（金）	
③	A	捨てられた、かわいそうな動物の世話をする	7月29日（金） 8月 6日（土）	中町動物センター
	B	捨てられた動物をもらってくれる人を探す	7月30日（土） 8月 7日（日）	ワン・ニャンクラブ

だれでも申し込むことができますが、②は中学生以上の方にお願いします。

トラックNo 一覧

課題理解		02		5番	39
第1回	1番	03	第2回	6番	40
	2番	04		7番	41
	3番	05		8番	42
	4番	06		9番	43
	5番	07		10番	44
	6番	08			
	7番	09	即時応答		45
	8番	10	第1回	1番	46
第2回	9番	11		2番	47
	10番	12		3番	48
	11番	13		4番	49
	12番	14		5番	50
	13番	15		6番	51
	14番	16		7番	52
	15番	17		8番	53
	16番	18	第2回	9番	54
				10番	55
ポイント理解		19		11番	56
第1回	1番	20		12番	57
	2番	21		13番	58
	3番	22		14番	59
	4番	23		15番	60
	5番	24		16番	61
	6番	25			
	7番	26			
第2回	8番	27			
	9番	28			
	10番	29			
	11番	30			
	12番	31			
	13番	32			
	14番	33			
発話表現		34			
第1回	1番	35			
	2番	36			
	3番	37			
	4番	38			

※聴解音声

音声はMP3ファイルをZIP形式で圧縮してダウンロードサイトに掲載してあります。下記のサイトからダウンロードしてご利用ください。

音声ファイルの使用方法はご自身の機器の再生方法の説明書を参照してください。

ダウンロード方法

1) ご使用のブラウザ（safari、Google chromeなど）で下記のサイトへアクセスして下さい。

http://www.unicom-lra.co.jp/jd/Drill&DrillN4_LSTN_DL.html

2) ダウンロードするファイルとそのパスワード

ファイル名　Drill&DrillN4 聴解.zip　パスワード　UCD-046-01

※サイトやパスワードは英数半角で大文字、小文字に注意して入力して下さい。
※音声ファイルは著作権によって保護されています、無断転載複製を禁じます。

聴解【Listening】

課題理解　　　第1回 - 第2回
ポイント理解　第1回 - 第2回
発話表現　　　第1回 - 第2回
即時応答　　　第1回 - 第2回

第1回 課題理解

日付	/	/	/
得点	/8	/8	/8

まず しつもんを 聞いて ください。それから 話を 聞いて、もんだいようしの 1から4の 中から、いちばん いい ものを 一つ えらんで ください。

1ばん 🔊03

1　イ　ウ　エ
2　ア　イ　ウ
3　イ　ウ　オ
4　ア　ウ　エ

2ばん 🔊04

1　11時10分
2　11時30分
3　12時10分
4　12時30分

3 ばん 🔊 05

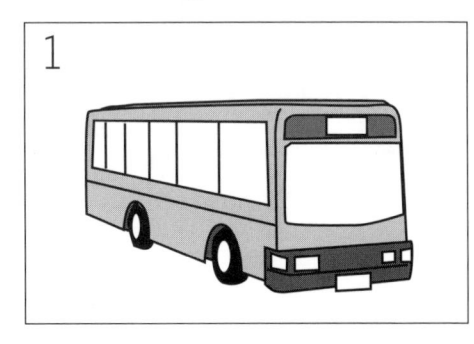

4 ばん 🔊 06

5ばん 🔊07

1　10人
2　12人
3　14人
4　16人

6ばん 🔊08

7ばん 🔊09

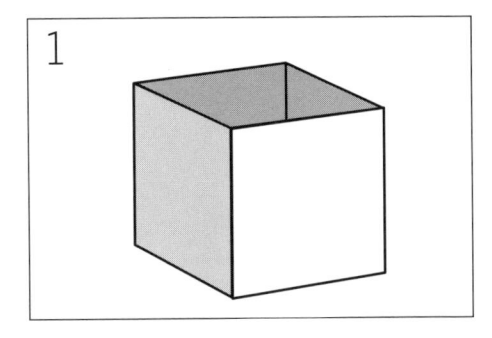

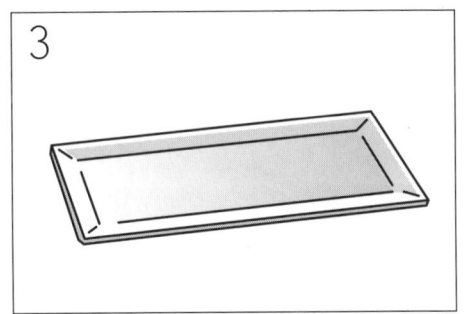

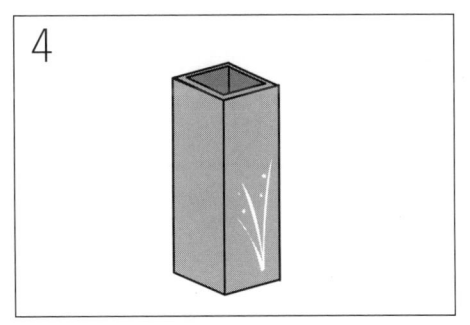

1. [箱]
2. [花瓶（丸型）]
3. [皿]
4. [花瓶（細長い）]

8ばん 🔊10

1　かいぎしつ
2　ぎんこう
3　ゆうびんきょく
4　コンビニ

第2回 課題理解

日付	/	/	/
得点	/8	/8	/8

まず しつもんを 聞いて ください。それから 話を 聞いて、もんだいようしの 1から4の 中から、いちばん いい ものを 一つ えらんで ください。

9ばん 🔊11

1　ウ　エ
2　イ　エ
3　ウ　ア
4　ウ　イ

10ばん 🔊12

1　お金を はらいます。
2　ひつような ことを 書きます。
3　ふうとうを 買います。
4　きってを 買います。

11 ばん 🔊 13

| 1 | 2 |
| 3 | 4 |

12 ばん 🔊 14

1　9時45分に　駅の　前
2　9時45分に　えいがかんの　中
3　10時に　えいがかんの　前
4　10時15分に　えいがかんの　中

13 ばん 🔊15

14 ばん 🔊16

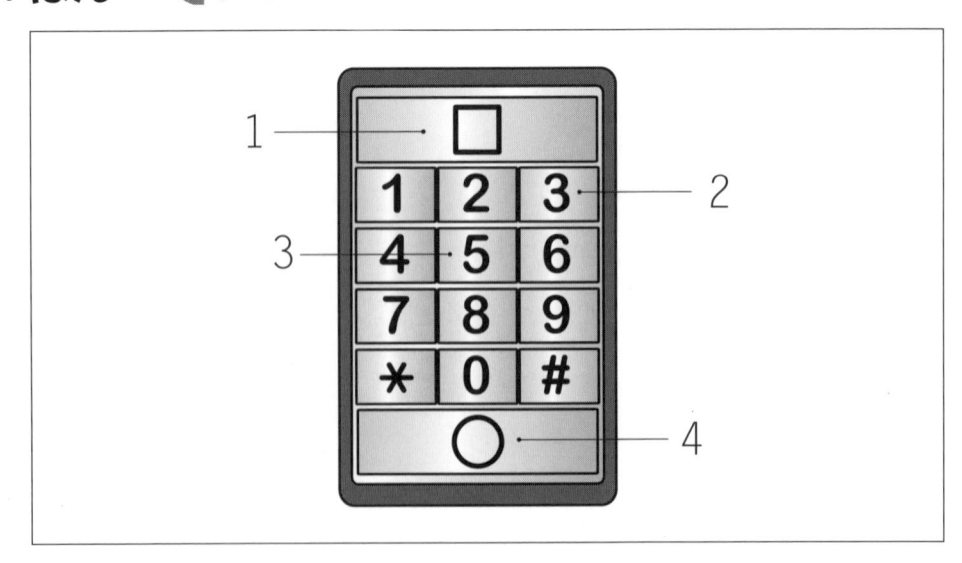

15 ばん 🔊 17

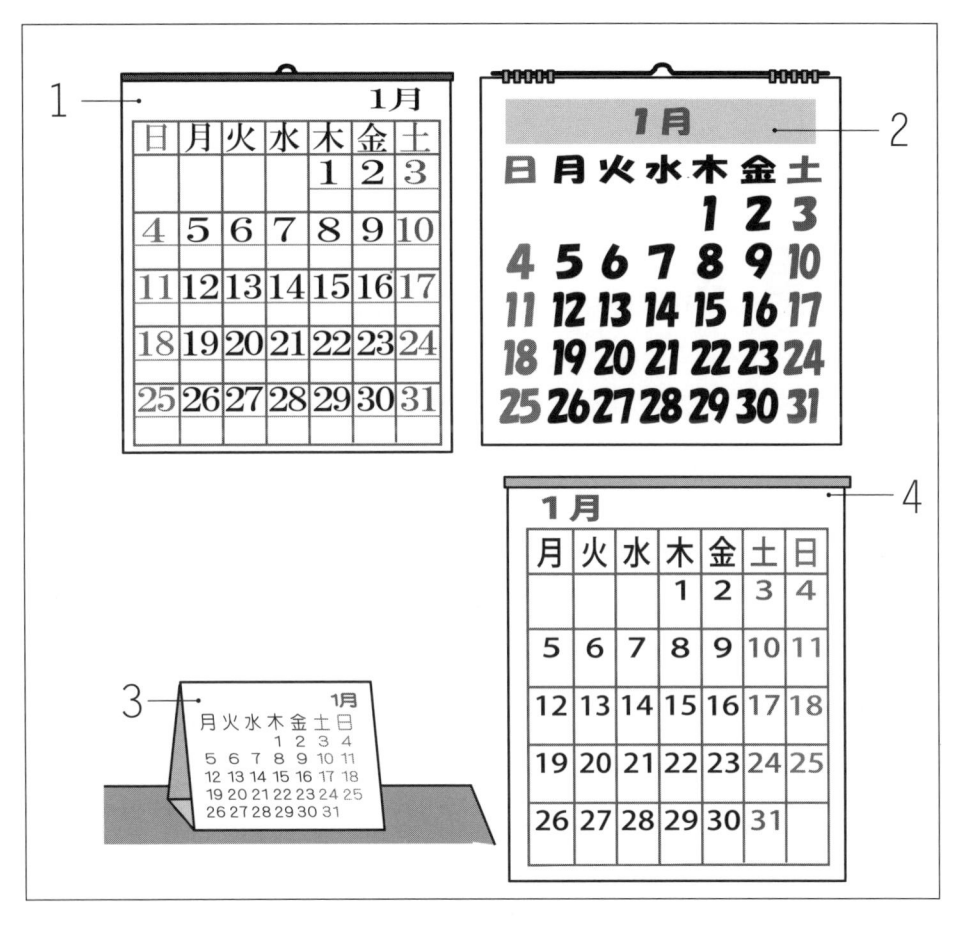

16 ばん 🔊 18

1 白い 花
2 白い 花と きいろい 花
3 白い 花と ピンクの 花
4 白い 花と 赤い 花

第1回 ポイント理解

日付	/	/	/
得点	/7	/7	/7

まず しつもんを 聞いて ください。そのあと、もんだいようしを 見て ください。読む 時間が あります。それから 話を 聞いて、もんだいようしの 1から4の 中から、いちばん いい ものを 一つ えらんで ください。

1ばん 🔊 20

1　1こ
2　4こ
3　5こ
4　8こ

2ばん 🔊 21

1　3時間
2　4時間
3　5時間
4　6時間

3ばん 🔊 22

1　ビールが すきではないから
2　コーヒーが おいしいから
3　車の うんてんを するから
4　しごとが あるから

4ばん 🔊23
1　1かい
2　2かい
3　3かい
4　4かい

5ばん 🔊24
1　すうがく
2　かがく
3　きょういく
4　れきし

6ばん 🔊25
1　5時
2　5時15分
3　5時半
4　5時45分

7ばん 🔊26
1　火よう日
2　水よう日
3　木よう日
4　金よう日

第2回 ポイント理解

日付	/	/	/
得点	/7	/7	/7

まず しつもんを 聞いて ください。そのあと、もんだいようしを 見て ください。読む 時間が あります。それから 話を 聞いて、もんだいようしの 1から4の 中から、いちばん いい ものを 一つ えらんで ください。

8ばん 🔊 27

1　7人
2　8人
3　9人
4　10人

9ばん 🔊 28

1　大学を やめるから
2　休みが とれないから
3　長い間 休むから
4　新しい しごとを するから

10ばん 🔊 29

1　9時
2　9時30分
3　11時30分
4　13時

11ばん 🔊30
1 土よう日
2 日よう日
3 月よう日
4 火よう日

12ばん 🔊31
1 フランスりょうりを つくる
2 日本りょうりを つくる
3 りょうりの ざっしを つくる
4 りょうりの しゃしんを とる

13ばん 🔊32
1 15分
2 20分
3 30分
4 45分

14ばん 🔊33
1 まちを あるく とき
2 買いものや しょくじを する とき
3 タクシーが 来た とき
4 タクシーに のる とき

第1回 発話表現

日付	/	/	/
得点	/5	/5	/5

えを 見ながら しつもんを 聞いて ください。
➡(やじるし)の 人は 何と 言いますか。1から3の 中から、いちばん いい ものを 一つ えらんで ください。

1ばん 🔊 35

2ばん 🔊36

3ばん 🔊37

4ばん 🔊38

5ばん 🔊39

第2回
発話表現

日付	/	/	/
得点	/5	/5	/5

えを 見ながら しつもんを 聞いて ください。
➡（やじるし）の 人は 何と 言いますか。1から3の 中から、いちばん いい ものを 一つ えらんで ください。

6ばん 🔊40

7ばん 🔊41

8ばん 🔊42

9ばん 🔊43

10ばん 🔊44

第1回 即時応答

日付	/	/	/
得点	/8	/8	/8

えなどは ありません。まず ぶんを 聞いて ください。
それから、そのへんじを 聞いて、1から3の 中から、いちばん いい ものを 一つ えらんで ください。

1ばん 🔊46 〔 1　2　3 〕

2ばん 🔊47 〔 1　2　3 〕

3ばん 🔊48 〔 1　2　3 〕

4ばん 🔊49 〔 1　2　3 〕

5ばん 🔊50 〔 1　2　3 〕

6ばん 🔊51 〔 1　2　3 〕

7ばん 🔊52 〔 1　2　3 〕

8ばん 🔊53 〔 1　2　3 〕

第2回 即時応答

日付	/	/	/
得点	/8	/8	/8

えなどは ありません。まず ぶんを 聞いて ください。
それから、そのへんじを 聞いて、1から3の 中から、いちばん いい ものを 一つ えらんで ください。

9ばん 🔊54　〔　1　2　3　〕

10ばん 🔊55　〔　1　2　3　〕

11ばん 🔊56　〔　1　2　3　〕

12ばん 🔊57　〔　1　2　3　〕

13ばん 🔊58　〔　1　2　3　〕

14ばん 🔊59　〔　1　2　3　〕

15ばん 🔊60　〔　1　2　3　〕

16ばん 🔊61　〔　1　2　3　〕

著者紹介

問題作成＋解説：
　　　星野 恵子：元 拓殖大学日本語教育研究所講師
　　　辻 和子：ヒューマンアカデミー日本語学校東京校顧問

翻　訳： 山上 富美子
　　　　 横山 美代子

録　音： 勝田 直樹
　　　　 かとう けいこ

イラスト： 　　花色 木綿
カバーデザイン： 木村 凜
編集協力： 　　りんがる舎

ドリル＆ドリル 日本語能力試験 N4 文字・語彙/文法/読解/聴解

2015年2月20日 初版発行　　　2025年8月1日 第7刷発行

［監修］　星野恵子
［著者］　星野恵子・辻和子　2015©
［発行者］　片岡 研
［印刷所］　シナノ書籍印刷株式会社
［発行所］　株式会社ユニコム
　　　　　Tel.042-796-6367　Fax.042-850-5675
　　　　　〒194-0002 東京都町田市南つくし野 2-13-25
　　　　　http://www.unicom-lra.co.jp

ISBN 978-4-89689-497-4

■本文、音声等の無断転載複製を禁じます

ドリル&ドリル
日本語能力試験 N4
文字・語彙 / 文法 / 読解・聴解

著者：星野恵子＋辻 和子

正解・解説

強く引っぱるとはずせます

UNICOM Inc.

文字・語彙
【Vocabulary】

漢字 のグレーの 漢字は N3 レベル 以上の 少し 難しい 漢字です。――― [実験（じっけん）]
漢字 Kanjis written in grey are for the N3 and higher levels, more advanced levels.

漢字読み
Kanji Reading

第1回

【1】正解 2
試験「しけん」exam
明日、試験が あります。We will have an exam tomorrow.

漢字
試 ①シ
　　［試合（しあい）］game (of a sport)
　②ため
　　［試す］to try

験 ケン
　　［経験（けいけん）］experience
　　［実験（じっけん）］experiment

【2】正解 3
特急「とっきゅう」limited express
次の 電車は 特急です。The next train will be a limited express.

漢字
特 ①トク
　　［特に］especially, particularly
　　［特別（な）（とくべつ（な））］special
　②トッ
　　［特急］

急 ①キュウ
　　［急（な）］sudden
　　［急行（きゅうこう）］express (train)
　②いそ
　　［急ぐ］to hurry (up)

【3】正解 4
昼間「ひるま」daytime
昨日の 昼間は 出かけて いました。I was out during the day yesterday.

漢字
昼 ①チュウ
　　［昼食（ちゅうしょく）］lunch
　②ひる
　　［昼］noon
　　［昼ご飯（ひるごはん）］lunch
　　［昼休み（ひるやすみ）］lunch break

間 ①カン
　　［時間（じかん）］time
　②あいだ
　　［間］during　例 夏休みの 間に 山へ 行きたい。
　③ま
　　［間に合う（まにあう）］to be in time

【4】正解 1
店員「てんいん」store clerk
あの 店員に 聞いて みましょう。Let's ask that store clerk over there.

漢字
店 ①テン
　　［喫茶店（きっさてん）］coffee shop
　　［書店（しょてん）］bookstore
　②みせ
　　［店］store, shop

員 イン
　　［駅員（えきいん）］(railroad) station worker
　　［会社員（かいしゃいん）］company employee
　　［公務員（こうむいん）］public servant, government employee

【5】正解 2
医者「いしゃ」(medical) doctor
わたしは 将来 医者に なりたいです。I want to become a doctor in the future.

漢字
医 イ
　　［医学（いがく）］medical science

者 ①シャ
　　[学者（がくしゃ）] scholar
　　[歯医者（はいしゃ）] dentist
　②もの
　　[働き者（はたらきもの）] hard worker
　　[なまけ者] lazy person

【6】正解1
花「はな」flower
この花の名前を知っていますか。Do you know the name of this flower?

漢字
花 ①カ
　　[花びん（かびん）] vase
　②はな
　　[花見（はなみ）] (cherry) blossom viewing
　　[花屋（はなや）] flower shop

【7】正解1
夕飯「ゆうはん」supper, dinner
夕飯までに家に帰ります。I'll come home by the supper time.

漢字
夕 ユウ
　　[夕方（ゆうがた）] evening
　　[夕食（ゆうしょく）] supper, dinner

飯 ①ハン
　　[朝ご飯（あさごはん）] breakfast
　　[昼ご飯（ひるごはん）] lunch
　　[晩ご飯（ばんごはん）] supper, dinner
　②めし
　　[飯] meal

【8】正解3
暑い「あつい」hot
今日は暑いですね。Hot today, isn't it?

漢字
暑 あつ
　　[暑い]

【9】正解3
通って「とおって」《通る》to pass
車がたくさん通っています。There's much traffic (on this road).

漢字
通 ①ツウ
　　[交通（こうつう）] traffic
　②とお
　　[通り] street, road
　③かよ
　　[通う] to commute 例 毎日学校に通っています。

第2回

【10】正解2
運転「うんてん」drive
危険な運転をしないでください。Don't drive recklessly.

漢字
運 ①ウン
　　[運] luck 例 運がいい lucky／運が悪い unlucky
　　[運転手（うんてんしゅ）] driver
　　[運動（うんどう）] sport, exercise
　②はこ
　　[運ぶ] to carry 例 車で荷物を運びました。

転 テン
　　[自転車（じてんしゃ）] bicycle

【11】正解4
屋上「おくじょう」roof (of a building)
この上は屋上です。Above here is the roof.

漢字
屋 ①オク
　　[屋上]
　②や
　　[〜屋] 〜 store/shop 例 本屋／花屋
　　[八百屋（やおや）] vegetable store

上 ①ジョウ
　　[上手（な）（じょうず（な））] skillful, good at
　　[〜以上（いじょう）] more than ... 例 この会社には社員が千人以上います。
　②うえ
　　[上] up, on, above 例 机の上に辞書が置いてあります。
　③うわ

[上着（うわぎ）] jacket
④あ
[上がる] to rise 例階段を 上がります。
[上げる] to raise 例荷物を たなの 上に 上げました。

【12】正解 2
仕事「しごと」 work, job
今日は 仕事が ありません。 I'm off from work today.
漢字
仕 シ
　[仕方（しかた）] how to do/operate
　[仕方が ない（しかたが ない）] there is no choice, cannot be helped
事 ①ジ
　[事故（じこ）] accident
　[事務所（じむしょ）] office
　[火事（かじ）] fire
　[食事（しょくじ）] meal
　[大事（な）（だいじ（な））] important
　[返事（へんじ）] answer, response
　[用事（ようじ）] affairs, errand, things to do
②こと
　[事] thing, matter, affair
③ごと
　[仕事]

【13】正解 1
出発「しゅっぱつ」 departure
出発は 6時です。 The departure time is 6:00.
漢字
出 ①シュツ
　[輸出（ゆしゅつ）] export
②シュッ
　[出席（しゅっせき）] attendance
③で
　[出かける] to go out
　[出口（でぐち）] exit
　[出る] to come out, to get out
④だ
　[出す] to get something out, to submit 例銀行で お金を 出しました。
発 ①ハツ

[発音（はつおん）] pronunciation
②ハッ
[発表（はっぴょう）] announcement
③パツ
[出発]

【14】正解 2
進んで「すすんで」《進む》 to proceed
まっすぐ 進んで ください。 Go straight, please.
漢字
進 ①シン
　[進歩（しんぽ）] progress, improvement
②すす
　[進む]

【15】正解 2
教室「きょうしつ」 classroom
ここが わたしたちの 教室です。 This is our classroom.
漢字
教 ①キョウ
　[教育（きょういく）] education
　[教会（きょうかい）] church
②おし
　[教える] to teach
室 シツ
　[会議室（かいぎしつ）] conference room

【16】正解 1
南「みなみ」 south
その 島は 日本の 南に あります。 The island is to the south of Japan.
漢字
南 ①ナン
　[東西南北（とうざいなんぼく）] east, west, south, and north / everywhere
②みなみ
　[南]

【17】正解 3
世界「せかい」 world
船で 世界を 回りたいです。 I want to travel around the

world by boat.

漢字

世 ①セ
　[世話（せわ）] taking care of ...
　②よ
　[世の中（よのなか）] world, society

界　カイ
　[世界]

【18】**正解 4**
台所「だいどころ」 kitchen
うちの 台所は せまいです。 Our kitchen is small.

漢字

台 ①ダイ
　[〜台]〔counter for cars, computers, TV's etc.〕 例 彼は 車を 2台 持って います。
　②タイ
　[台風（たいふう）] typhoon

所 ①ショ
　[事務所（じむしょ）] office
　[住所（じゅうしょ）] address
　[場所（ばしょ）] place, location
　②ジョ
　[近所（きんじょ）] neighborhood
　③ところ
　[所] place 例 ここは 子どもが 遊ぶ 所です。
　④どころ
　[台所]

第3回

【19】**正解 1**
都合「つごう」 convenience
明日、あなたの 都合は どうですか。 How is your convenience tomorrow?

漢字

都 ①ト
　[京都（きょうと）] Kyoto
　[首都（しゅと）] capital of a country
　[東京都（とうきょうと）] Tokyo Metropolis
　②ツ
　[都合]
　③みやこ

[都] capital 例 京都は 日本の 古い 都です。

合 ①ゴウ
　[合格（ごうかく）] pass
　[合計（ごうけい）] total
　②ガッ
　[合唱（がっしょう）] chorus
　③あ
　[合う] to match 例 わたしたちは 意見が 合いますね。 We are compatible with our ideas, aren't we?
　[間に合う（まにあう）] to be in time
　④あい
　[試合（しあい）] game (of a sport)
　[場合（ばあい）] case

【20】**正解 4**
今朝「けさ」 this morning
今朝は とても 寒かったです。 It was very cold this morning.

漢字

今 ①コン
　[今月（こんげつ）] this month
　[今週（こんしゅう）] this week
　[今度（こんど）] this time, next time
　[今晩（こんばん）] this evening
　[今夜（こんや）] tonight
　②いま
　[今] now
　[ただ今] at present, currently
　⚠特別な 読み方の ことば：「今朝（けさ）」、「今日（きょう）」today、「今年（ことし）」this year

朝 ①チョウ
　[朝食（ちょうしょく）] breakfast
　②あさ
　[朝ご飯（あさごはん）] breakfast
　[朝寝坊（あさねぼう）] oversleeping (in the morning)
　⚠特別な 読み方の ことば：「今朝（けさ）」

【21】**正解 2**
図書館「としょかん」 library
これから 図書館へ 行きます。 I'm going to the library now.

漢字

図 ①ズ

[地図（ちず）] map
②ト
[図書館]
書 ①ショ
[書店（しょてん）] bookstore
[書類（しょるい）] documents, papers
[〜書] book of 〜, booklet of 〜, certificate of 〜
例 参考書 reference book／説明書 instruction, manual
②か
[書く] to write
館 カン
[映画館（えいがかん）] movie theater
[旅館（りょかん）] Japanese style hotel

【22】正解 2
町「まち」town
ここは 小さい 町です。 This is a small town.
漢字
町 ①チョウ
[〜町] 〜 Town 例 わたしは 川田町に 住んでいます。
②まち
[町]

【23】正解 4
去年「きょねん」last year
去年 子どもが 生まれました。 I had a baby born last year.
漢字
去 ①キョ
[去年]
②コ
[過去（かこ）] past
③さ
[去る] to leave
年 ①ネン
[来年（らいねん）] next year
②とし
[年] year, age
[今年（ことし）] this year
[毎年（まいとし）] every year

【24】正解 3
重い「おもい」heavy
この かばんは 重いです。 This bag is heavy.
漢字
重 おも
[重い]

【25】正解 3
工業「こうぎょう」industry
この 国は 工業が さかんです。 This country is prosperous in industry.
漢字
工 コウ
[工場（こうじょう／こうば）] factory
業 ギョウ
[営業（えいぎょう）] operation
[産業（さんぎょう）] industry
[授業（じゅぎょう）] class
[卒業（そつぎょう）] graduation

【26】正解 1
八日「ようか」eighth (of a month), eight days
今月の 八日は 土曜日です。 The eighth of this month is a Saturday.
漢字
八 ①ハチ
[八] eight 例 八人／八時／八月 August
②ハッ
[八歳（はっさい）] 8 years old
③やっ
[八つ] eight, 8 years old
④よう
[八日]
日 ①ニチ
[日〜] 例 日米 Japan and the US ／日英 Japan and the UK
[日曜日（にちようび）] Sunday
[毎日（まいにち）] every day
②ニッ
[日〜] 例 日中 Japan and China ／日韓 Japan and Korea
[日記（にっき）] diary, journal

[日本（にっぽん）] Japan
③ニ
[日本（にほん）] Japan
④ジツ
[休日（きゅうじつ）] day off, closed
⑤ひ
[日] sun, day, date　例 その 日は 雨が 降りました。
⑥び
[誕生日（たんじょうび）] birthday
⑦ぴ
[生年月日（せいねんがっぴ）] date of birth
⑧か
[三日（みっか）] third (of the month), three days
[四日（よっか）] fourth (of the month), four days
[二十日（はつか）] 20th (of the month), twenty days
⚠ 特別な 読み方の ことば：「一日（ついたち）」

【27】正解 2
意見「いけん」 opinion
あなたの 意見は どうですか。 What do you think?
漢字
意　イ
　　[意味（いみ）] meaning
　　[注意（ちゅうい）] attention
　　[用意（ようい）] preparation
見　①ケン
　　[見学（けんがく）] learning through observation
　　[見物（けんぶつ）] sightseeing
　②み
　　[見つかる] to be found
　　[見つける] to find
　　[見る] to see, to watch
　　[花見（はなみ）] (cherry-)blossom viewing

第4回

【28】正解 1
住所「じゅうしょ」 address
ここに 住所を 書いて ください。 Please write down your address here.
漢字
住　①ジュウ

[住所]
②す
[住む] to live, to reside
所　①ショ
　　[事務所（じむしょ）] office
　　[場所（ばしょ）] place, location
　②ジョ
　　[近所（きんじょ）] neighborhood
　③ところ
　　[所]　例 ここは 子どもが 遊ぶ 所です。
　④どころ
　　[台所（だいどころ）] kitchen

【29】正解 2
旅「たび」 travel
わたしは 旅が 好きです。 I like to travel.
漢字
旅　①リョ
　　[旅館（りょかん）] Japanese style hotel
　　[旅行（りょこう）] travel, trip
　②たび
　　[旅]　例 旅を するのは 楽しい ことです。

【30】正解 4
入院「にゅういん」 hospitalization
妹は 今、入院して います。 My younger sister is in hospital now.
漢字
入　①ニュウ
　　[入学（にゅうがく）] entrance to school
　②はい
　　[入る] to enter　例 今年 大学に 入りました。
　③い
　　[入れる] to put something into …　例 かばんに 本と ノートを 入れました。
院　イン
　　[退院（たいいん）] discharge from a hospital
　　[大学院（だいがくいん）] graduate school
　　[病院（びょういん）] hospital

【31】正解 1
建物「たてもの」 building
ここに 新しい 建物が できる そうです。 I hear a

new building will be built here.

漢字

建 ①ケン
　［建築（けんちく）］architecture
　②た
　［建つ］to be built
　［建てる］to build

物 ①ブツ
　［見物（けんぶつ）］sightseeing, watching
　②モツ
　［荷物（にもつ）］baggage
　③もの
　［物］thing
　［物語（ものがたり）］story
　［おくり物］gift, present
　［着物（きもの）］kimono (Japanese traditional robe)
　［品物（しなもの）］thing
　［食べ物（たべもの）］food
　［飲み物（のみもの）］drink
　［乗り物（のりもの）］vehicle

【32】正解 2

半分「はんぶん」half
パンを 半分だけ 食べました。I had just half of the bread.

漢字

半 ①ハン
　［～半］half past ～　例 今、一時半です。
　②なか
　［半ば］middle　例 来月の 半ば

分 ①フン
　［～分］～ minute(s)　例 3時15分
　②プン
　［～分］～ minute(s)　例 1分／3分
　③ブン
　［分］portion　例 このケーキは あなたの 分です。わたしは もう 食べました。
　［～分の～］fraction　例 二分の一／三分の一
　［気分（きぶん）］feeling
　［自分（じぶん）］self
　［十分（な）（じゅうぶん（な））］enough
　［水分（すいぶん）］water, liquid
　④ブ

　［～分］percent　例 9割5分 95%
　⑤わ
　［分かる］to understand　例 説明が よく 分かりました。
　［分かれる］to be divided　例 ここで 道が 二つに 分かれます。
　［分ける］to divide　例 大きい ケーキを 4つに 分けた。

【33】正解 4

弟「おとうと」younger brother
弟は 会社員です。My younger brother is a company employee.

漢字

弟 ①ダイ
　［兄弟（きょうだい）］sibling
　②デ
　［弟子（でし）］one's student/disciple
　③おとうと
　［弟］

【34】正解 1

門「もん」gate
門の 前で 待って いて ください。Please wait in front of the gate.

漢字

門 モン
　［専門（せんもん）］major, specialty

【35】正解 1

光る「ひかる」to shine
あの 光る ものは 何ですか。What's that shining object?

漢字

光 ①ひか
　［光る］
　②ひかり
　［光］light

【36】正解 3

合計「ごうけい」total
合計は いくらに なりますか。How much is it all

together?

漢字

合 ①ゴウ
　　[合格（ごうかく）] pass
　　[都合（つごう）] convenience
　②ガッ
　　[合唱（がっしょう）] chorus
　③あ
　　[合う] to match, to be correct　例 この 時計は 時間が 合って いません。 The time on this clock isn't correct.
　　[間に合う（まにあう）] to be in time
　④あい
　　[試合（しあい）] game (of a sport)
　　[場合（ばあい）] case

計 ①ケイ
　　[計画（けいかく）] plan
　　[計算（けいさん）] calculation
　　[時計（とけい）] clock, watch
　②はか
　　[計る] to measure

表記 Orthography

第1回

【1】正解 2

「せつめい」説明 explanation
先生の 説明が よく わかりませんでした。 I didn't understand the teacher's explanation well.

漢字

説 セツ
　　[小説（しょうせつ）] novel

明 ①メイ
　　[発明（はつめい）] invention
　②あか
　　[明るい] light, bright
　③あ
　　[明ける] (day) breaks　例 夜が 明ける

⚠ 特別な 読み方の ことば：「明日（あした／あす）」 tomorrow

【2】正解 1

「ひくい」低い low, short
あそこに 低い 山が 見えます。 I see a small mountain over there.

漢字

低 ①テイ
　　[最低（さいてい）] least, worst
　②ひく
　　[低い]

【3】正解 4

「あたま」頭 head
あの 人は 頭が いいです。 He is smart.

漢字

頭 ①ズ
　　[頭痛（ずつう）] headache
　②トウ
　　[先頭（せんとう）] top person (of a line/race)
　③あたま
　　[頭]

N4解答

【4】正解 1
「**よう い**」**用意** preparation
食事の 用意が できました。 Dinner is ready.

漢字
用 ①ヨウ
　　［〜用］made to be used by 〜　例 子ども用／家庭用 for home use
　　②もち
　　［用いる］to use
意 イ
　　［意見（いけん）］opinion
　　［意味（いみ）］meaning

【5】正解 1
「**はたらきなさい**」**働きなさい** 《働く》 to work
もっと まじめに 働きなさい。 Work more seriously.

漢字
働 はたら
　　［働く］

【6】正解 2
「**くらく**」**暗く** 《暗い》 dark
部屋が 急に 暗く なりました。 It suddenly got dark in the room.

漢字
暗 ①アン
　　［暗記（あんき）］memorization
　　②くら
　　［暗い］

第2回

【7】正解 1
「**けん**」**県** prefecture
日本には 県が 40以上 あります。 There are more than 40 prefectures in Japan.

漢字
県 ケン
　　［〜県］〜 Prefecture　例 青森県／山口県

【8】正解 2
「**はる**」**春** spring
来年の 春に 国へ 帰ります。 I will go back to my country next spring.

漢字
春 ①シュン
　　［春分の日（しゅんぶんのひ）］spring equinox
　　②はる
　　［春］

【9】正解 1
「**かいました**」**買いました** 《買う》 to buy
どこで それを 買いましたか。 Where did you buy it?

漢字
買 か
　　［買う］

【10】正解 3
「**ちず**」**地図** map
地図を 見たら、場所が わかりました。 I found the location when I saw a map.

漢字
地 ①チ
　　［地下鉄（ちかてつ）］subway
　　②ジ
　　［地震（じしん）］earthquake
図 ①ズ
　　［地図］
　　②ト
　　［図書館（としょかん）］library

【11】正解 3
「**くすり**」**薬** medicine
寝る 前に 薬を 飲みます。 I take medicine before going to bed.

漢字
薬 ①ヤク／ヤッ
　　［薬局（やっきょく）］pharmacy
　　②くすり
　　［薬屋（くすりや）］drug store, pharmacy

【12】正解 4
「**あかい**」**赤い** red〔adjective〕
あの 赤い 服を 着た 人は だれですか。 Who is that person wearing a red outfit?

漢字

赤 ①セキ
　　［赤道（せきどう）］equator
　②あか
　　［赤］red〔noun〕
⚠ 選択肢の漢字の読み
◇ 1 「黒い（くろい）」
　 2 「白い（しろい）」
　 3 「青い（あおい）」

第3回

【13】正解 3
「かじ」火事 fire
ゆうべ 近所で 火事が ありました。 There was a fire in my neighborhood last night.

漢字

火 ①カ
　　［火曜日（かようび）］Tuesday
　②ひ
　　［火］fire　例 台所の 火は 消しましたか。

事 ①ジ
　　［事故（じこ）］accident
　　［事務所（じむしょ）］office
　　［食事（しょくじ）］meal
　　［大事（な）（だいじ（な））］important
　　［返事（へんじ）］answer, response
　　［用事（ようじ）］affairs, errand, things to do
　②こと
　　［事］thing, matter, affair
　③ごと
　　［仕事（しごと）］work, job

【14】正解 2
「おくって」送って《送る》to send
荷物を すぐに 送って ください。 Please send me the parcel right away.

漢字

送 ①ソウ
　　［放送（ほうそう）］broadcasting
　②おく
　　［送る］

【15】正解 1
「みじかい」短い short
スピーチは 短い ほうが いいです。 A shorter speech is preferable.

漢字

短 みじか
　　［短い］

【16】正解 4
「かいじょう」会場 hall, place of an event
会場は どこですか。 Where is the event location?

漢字

会 ①カイ
　　［会社（かいしゃ）］company
　　［会話（かいわ）］conversation
　　［〜会］party, gathering　例 音楽会 concert, recital／送別会 farewell party
　　［社会（しゃかい）］society
　②あ
　　［会う］to meet, to see

【17】正解 2
「あるきました」歩きました《歩く》to walk
駅まで 歩きました。 I walked to the station.

漢字

歩 ①ホ
　　［歩道（ほどう）］pedestrians' road
　②ある
　　［歩く］

【18】正解 3
「もり」森 wood
この 国は 森が たくさん あります。 There are a lot of woods in this country.

漢字

森 もり
　　［森］

第4回

【19】正解 2
「しつもん」質問 question
質問は ありませんか。 Any questions?

質 シツ
[質] quality　例 質が いい／質が 悪い

問 ①モン
[問題（もんだい）] problem
②と
[問い] question

【20】正解 4
「よわい」弱い　weak
兄は 体が 弱いです。 My older brother is physically weak.

漢字
弱 よわ
[弱い]

【21】正解 1
「あらって」洗って 《洗う》 to wash
野菜を よく 洗って ください。 Wash the vegetable thoroughly.

漢字
洗 ①セン
[洗濯（せんたく）] laundry
②あら
[洗う]

【22】正解 3
「ふく」服　clothes
服を 買いに デパートへ 行きましょう。 Let's go buy some clothes in a department store.

漢字
服 フク
[洋服（ようふく）] Western-style clothes

【23】正解 4
「そら」空　sky
窓から 空が 見えます。 I can see the sky from the window.

漢字
空 ①クウ
[空気（くうき）] air
[空港（くうこう）] airport
②そら
[空]

【24】正解 2
「くび」首　neck
首の 運動を しましょう。 Let's do a neck exercise.

漢字
首 ①シュ
[首相（しゅしょう）] prime minister
[首都（しゅと）] capital (of a country)
②くび
[首]

文脈規定
Contextually-defined expressions

第1回

【1】正解 2

おみまい visiting a sick person

病院へ 友だちの お見舞いに 行きました。I went to the hospital to visit my friend.

選択肢のことば
1 「おいわい」celebration
3 「おみやげ」souvenir
4 「おまつり」festival

⚠ 「A へ B に 行く」＝ B(する) ために、A へ 行く
例 レストランへ 食事に 行きます。
🔑 「病院へ」

【2】正解 3

のりかえて《乗り換える》to change trains

この 電車で 東京駅へ 行く ことは できません。次の 駅で 乗り換えて ください。You cannot go to Tokyo Station on this train. Change to another at the next station.

選択肢のことば
1 「取り替えて」《取り替える》to change
2 「間違えて」《間違える》to make a mistake
4 「引っ越して」《引っ越す》to move to a different place

🔑 「この 電車で…… 行く ことは できません」「次の 駅で」

【3】正解 1

ひさしぶりに〈久しぶりに〉for the first time in a long time

小学校の 友だちと 久しぶりに 会いました。I met my elementary school friend for the first time in a long time.

選択肢のことば
2 「特に」especially, particularly
3 「非常に」very
4 「熱心に」《熱心(な)》eager, zealous

🔑 「小学校の 友だち」

【4】正解 3

こうどう〈講堂〉auditorium

学校の 講堂で 校長先生の 話を 聞きました。We listened to our principal's talk in the school auditorium.

選択肢のことば
1 「旅館」Japanese style hotel
2 「海岸」beach
4 「田舎」country(side)

【5】正解 1

きめて《決める》to decide

どちらに するか 決めて ください。Make up your mind and pick either one of them.

選択肢のことば
2 「ためて」《ためる》to save, to collect
3 「止めて」《止める》to stop, to cease 例 ここで 車を 止めて ください。
4 「閉めて」《閉める》to close

🔑 「どちらに するか」＝どちらを 選ぶか

【6】正解 1

あさねぼう〈朝寝坊〉oversleeping

朝寝坊を して、仕事に 遅れて しまいました。I overslept and was late for work.

選択肢のことば
2 「昼休み」lunch break
3 「卒業」graduation
4 「夕飯」supper, dinner

⚠ 「朝寝坊(を)する」＝寝坊(を)する
🔑 「遅れて しまいました」＝遅刻を しました

【7】正解 2

かつ〈勝つ〉to win, to beat

次の 試合で どちらが 勝つか、わかりません。We don't know which team will win in the next game.

選択肢のことば
1 「立つ」to stand
3 「こむ」to get crowded/packed 例 朝と 夕方は 電車が こむ。
4 「すむ」〈①住む to live, to reside ②済む to finish, to be done〉例 ①東京に 住んで います。 ②仕事が 済んだら すぐに 帰ります。

🔑 「試合で」

文字・語彙

漢字読み　表記　文脈規定　言い換え類義　用法

13

N4解答

【8】正解 3
しばらく for a while
疲れましたね。しばらく 休みましょう。 Tired, aren't we? Let's take a break for a while.
🔑 電車が 来るまで しばらく 待ちましょう。

選択肢のことば
1 「代わりに」 instead/for someone 例 父が 行けないので、代わりに わたしが 行きます。 Because my father can't make it, I will come for him.
2 「例えば」 for example
4 「全然」 not at all 例 ロシア語は 全然 わかりません。 I don't understand Russian at all.

【9】正解 4
うら〈裏〉back
この カードの 裏に 名前を 書いて ください。 Please write your name on the back of this card.

選択肢のことば
1 「屋根」 roof
2 「島」 island
3 「かべ」 wall
🔑 「カードの」

【10】正解 1
じゃま《じゃま(な)》in the way
ここに 自転車を 置くと じゃまですから、置かないで ください。 Please don't park your bicycle here because it's in the way.

選択肢のことば
2 「必要」《必要(な)》necessary
3 「特別」《特別(な)》special
4 「複雑」《複雑(な)》complicated
🔑 「置かないで ください」

第2回

【11】正解 4
ばんぐみ〈番組〉program
何か おもしろい テレビの 番組は ありませんか。 Isn't there any good program on TV?

選択肢のことば
1 「きょうみ」 interest
2 「政治」 politics
3 「予定」 plan
🔑 「テレビの」

【12】正解 3
しらべて《調べる》to check
この 住所が 正しいか どうか 調べて ください。 Please check if this address is correct.

選択肢のことば
1 「こわれて」《こわれる》to break
2 「触って」《触る》to touch
4 「捨てて」《捨てる》to throw, to dump
🔑 「正しいか どうか」⇒正しいか 正しくないか わからない

【13】正解 2
きょういく〈教育〉education
子どもの 教育は とても 大事です。 Children's education is very important.

選択肢のことば
1 「警察」 police
3 「戦争」 war
4 「放送」 broadcasting
⚠ 「子どもの 教育」＝子どもを 教育する こと

【14】正解 1
てつだって《手伝う》to help
一人では できませんから、手伝って ください。 I can't do it by myself, so give me a hand.

選択肢のことば
2 「間に合って」《間に合う》to be in time, to make it
3 「間違えて」《間違える》to make a mistake
4 「つかまえて」《つかまえる》to catch
🔑 「一人では できませんから」

【15】正解 1
こんど〈今度〉next time, some time
今度 ぜひ 一緒に 食事を しましょう。 Let's do have dinner together some time.
🔑 今度 アメリカで 働く ことに なりました。来月 出発します。

選択肢のことば
2 「この間」 the other day 例 これは この間 買った 新しい 自転車です。

3「このごろ」lately, recently 例 このごろ 外国へ 行く 人が 増えています。
4「最近」lately, recently 例 最近 仕事が 忙しいです。
🔑「食事を しましょう」＊「今度」は、これから する こと、まだ して いない ことに 使われる ことが 多い。 "Kondo" is usually used regarding what one is going to do or what one hasn't done yet.

【16】正解 3
きぶん〈気分〉feeling
すみません。気分が 悪いので、先に 帰ります。I'm sorry but I don't feel well, so I'm leaving now.

選択肢のことば
1「季節」season
2「危険」《危険(な)》dangerous
4「規則」rule
🔑「悪い」bad

【17】正解 2
とおりません《通る》to pass
この 道は 車が あまり 通りません。There isn't much traffic on this road.

選択肢のことば
1「太りません」《太る》to gain weight
3「送りません」《送る》to drive, to see a person (to a place)
4「かぶりません」《かぶる》to wear (a hat)
🔑「道」

【18】正解 4
エアコン air-conditioner, AC
暑いですね。エアコンを 入れましょうか。Hot, isn't it? Shall I turn on the AC?

選択肢のことば
1「ステレオ」stereo
2「パソコン」PC
3「ガソリン」gas
🔑「暑いです」「入れましょうか」(「エアコンを 入れる」)」

【19】正解 2
ねむい〈眠い〉sleepy
ゆうべ 遅く 寝たので、今日は 眠いです。I'm sleepy today because I went to bed late last night.

選択肢のことば
1「苦い」bitter
3「浅い」shallow
4「うまい」good at
🔑「遅く 寝たので」

【20】正解 1
わりあい comparatively, rather
今年の 冬は わりあい 暖かくて よかったですね。It was nice we had a rather warm winter this year, wasn't it?

選択肢のことば
2「はっきり」clearly 例 今日は 天気が いいから、山が はっきり 見えます。
3「できるだけ」as ... as possible 例 できるだけ 運動を した ほうが いいですよ。
4「必ず」certainly, invariably

第3回

【21】正解 4
しょうたい《招待(する)》to invite
友だちを 家に 招待しました。I invited my friend to my home.

選択肢のことば
1「出席」《出席(する)》to attend
2「説明」《説明(する)》to explain
3「利用」《利用(する)》to make use of
🔑「家に」

【22】正解 3
さしましょう《さす》to put up/use (an umbrella)
雨が 降って きました。かさを さしましょう。It's started raining. Let's put up an umbrella.

選択肢のことば
1「とりましょう」《①取る ②撮る》① to take, to get, to pass ② to take (a picture) 例 ① すみません。机の 上に ある 辞書を 取って ください。Excuse me, would you pass me the dictionary on the desk? ② ここで 写真を 撮りましょう。
2「つけましょう」《付ける》to put, to apply, to spread 例 パンに バターを 付けて 食べます。I spread butter on the bread and eat it.

4「たてましょう」《①立てる ②建てる》 例①ワインのびんは 立てないで 横に します。You lay wine bottles sideways instead of standing them upright. ②家を 建てる ために お金が 要ります。I need money in order to build a house.

🔑 「かさ」(「かさを さす」)

【23】正解 3
エスカレーター escalator
足が 痛かったので、エスカレーターで 2階へ 上がりました。My feet hurt, so went up to the second floor by an escalator.

選択肢のことば
1「オートバイ」motorcycle
2「アルバイト」part-time job
4「テキスト」textbook

🔑 「足が 痛かったので」「2階へ 上がりました」

【24】正解 1
ひきだし〈引き出し〉 drawer
大事な 物は 机の 引き出しに 入れました。I put valuable stuff into the desk drawer.

選択肢のことば
2「押し入れ」futon closet
3「げんかん」entrance hall (of a house)
4「たな」shelf

🔑 「机の」

【25】正解 3
くれて《暮れる》 the sun sets, to get dark
日が 暮れて、暗く なりました。The sun's setting and it is getting dark.

選択肢のことば
1「消えて」《消える》to disappear, to turn off
2「ゆれて」《ゆれる》to shake 例地震で 家が ゆれた。
4「慣れて」《慣れる》to get used to 例新しい クラスに もう 慣れましたか。

🔑 「日が」

【26】正解 2
ずっと for a long time
あなたの 返事を ずっと 待って います。I've been waiting for your reply for a long time.

選択肢のことば
1「ほとんど」almost 例日本語初級の 漢字は ほとんど 覚えた。I have learned almost all the elementary-level Kanji characters of Japanese.
3「これから」from now on 例これから そちらへ 行きます。30分ぐらいで 着きます。
4「さっき」a little while ago 例さっき 上田さんから 電話が ありました。1時間ぐらい 前です。

🔑 「待って います」

【27】正解 1
あんぜん《安全(な)》 safe
隣に 警察が あるので、ここは 安全だと 思います。I think it's safe here because there is a police station next door.

選択肢のことば
2「無理」《無理(な)》impossible
3「自由」《自由(な)》free
4「不便」《不便(な)》inconvenient

🔑 「警察が あるので」

【28】正解 4
ぎじゅつ〈技術〉 technique
わたしは コンピューターの 技術を 勉強して います。I am learning computer skills.

選択肢のことば
1「季節」season
2「時代」times, era
3「専門」major, specialty

🔑 「コンピューターの」

【29】正解 3
びっくりしました《びっくり(する)》 to be surprised
道の 角から 車が 急に 出て きたので、びっくりしました。I was surprised when a car suddenly ran out of a corner of the road.

選択肢のことば
1「いじめました」《いじめる》to bully
2「払いました」《払う》to pay, to brush
4「調べました」《調べる》to check

🔑 「急に 出て きた」

【30】正解 2

うつくしい〈美しい〉beautiful
その 部屋の 壁に 美しい 花の 絵が かけて あり ました。There was a beautiful painting of flowers hanging on the wall of the room.

選択肢のことば

1「きびしい」strict, severe 例 わたしたちの 先生は とても きびしくて、毎日 宿題を 出します。
3「恥ずかしい」embarrassing 例 テニスの 試合で 子どもに 負けて しまいました。恥ずかしいです。I got beaten by children in a tennis match. It's embarrassing.
4「悲しい」sad 例 悲しい ことは 早く 忘れたい です。I want to forget about sad things soon.

🔑「花の 絵」

言い換え類義
Paraphrases

第1回

【1】正解 4

ゆうべ＝昨日の 夜
ゆうべ 雨が 降りました。It rained last night.
✏️ ゆうべは よく 寝たので、今日は 元気です。

【2】正解 2

まにあう〈間に合う〉＝遅れない
授業が 始まる 時間に 間に合いました。I was able to get to class before it started.
✏️ 間に合わない かもしれないから、タクシーで 行きましょう。
⚠️「〜に 間に合う」例 飛行機の 出発時間に 間に合いました。遅れなくて よかったです。

【3】正解 3

なおる〈治る〉＝元気に なる／よく なる
病気が 治りました。I recovered from my illness.
✏️ けがが 治ったら、旅行に 行きたいです。
⚠️「治る」と「直る」:「人の 病気／けがが 治る」「物の こしょうが 直る」例 こわれて いた 時計が 直ったので、また 使う ことが できます。Because my broken watch got repaired, I can use it again.

【4】正解 1

すむ〈済む〉to finish ＝終わる
仕事は いつ 済みますか。When are you going to finish your work?
✏️（母が 子どもに 言う）宿題は もう 済んだの？ 早く やって しまいなさい。

【5】正解 1

じゆう（な）〈自由（な）〉＝何を しても いい／好きな ことが できる
今日は 一日 自由です。I will be free all day today.
✏️ ここに ある ものは 自由に 使って いいですよ。

第2回

【6】正解 4
べつ〈別〉＝一緒ではない／分かれている
これとそれを別にしてください。 Make this and that separate.
⚠「別の～」＝同じではない／違う 例 わたしと妹は別の学校に行っています。
「別にする」＝一緒にしない／分ける

【7】正解 1
まちがえる〈間違える〉 to make a mistake
答えを間違えました。 I made a wrong answer.
✏ 番号を間違えないように気をつけて電話をかけてください。

【8】正解 1
ふべん(な)〈不便(な)〉＝便利ではない
ここは不便な所です。 This is an inconvenient place.
✏ この町は、前は交通が不便でしたが、地下鉄ができてから便利になりました。

【9】正解 3
やめる＝もう～しない
たばこをやめました。 I quit smoking.
⚠「会社／学校をやめる」＝もうその会社／学校に行かない

【10】正解 2
かんたん(な)〈簡単(な)〉＝難しくない／易しい
この問題は簡単です。 This question is easy.

第3回

【11】正解 1
かまいません＝いいです／だいじょうぶです
早く帰ってもかまいません。 I don't mind your leaving early.
⚠「～てもかまいません」＝～てもいいです／だいじょうぶです 例 ペンがなければ、えんぴつで書いてもかまいませんよ。

【12】正解 4
しっぱいする〈失敗する〉 to fail
大学の入学試験に失敗しました。 I failed my college entrance exam.
✏ 新しい会社を作る計画は、失敗してしまいました。 Our plan to start a new company has failed.
⚠「試験に落ちる」fail an exam ＝試験に合格できない

【13】正解 2
うつる〈移る〉＝場所が変わる
店が移りました。 The store moved.

【14】正解 4
こしょうしています《こしょうする》＝こわれています《こわれる》
機械がこしょうしています。 The machine is out of order.
✏ この時計はこしょうしています。直さなければなりません。 This clock is out of order and needs fixing.

【15】正解 1
たしか(な)〈確か(な)〉＝間違いではない／間違いない／正しい
そのニュースは確かです。 The news is true.
✏ この電話番号は確かかどうかわかりませんから、調べてみます。 I'm not sure if this phone number is correct or not, so will check it.

第4回

【16】正解 3
おたく〈お宅〉＝家
お宅はどちらですか。 Where do you live?
⚠「お宅」：ていねいな言い方。自分の家には使えない。 Honorific; cannot be used to refer to speaker's own house 例 昨日先生のお宅に伺いました。＝昨日先生の家に行きました。

【17】正解 1
わかれる〈別れる〉 to part, to split up, to separate
駅で友だちと別れました。 I parted from my friend at the station.

⚠「(人)と 別れる」例 今、わたしは 家族と 別れて 生活して いるので、ちょっと さびしいです。 I live separated from my family now, so feel a little lonely.

【18】正解 4
つづける〈続ける〉 to continue
仕事を 続けます。 We continue work.
⚠「続ける」の 反対の 意味の ことばは 「やめる」。 The opposite of "tsuzukeru (to continue)" is "yameru (to stop)."

【19】正解 1
むり(な)〈無理(な)〉＝(〜するのが) とても 難しい／たぶん できない
明日 来るのは 無理です。 I cannot come tomorrow.
💡それは 無理な 計画です。たぶん できないと 思います。 That's an impossible plan. I don't think we can do it.

【20】正解 3
ひえる〈冷える〉＝冷たく なる
今日は 空気が とても 冷えて います。 The air feels quite chilly today.
⚠「冷えて いる」＝冷たい　例 冷えて いない ビールは おいしく ありません。

第5回

【21】正解 4
おいわい〈お祝い〉 celebration, congratulations
上田さんに お祝いを 言いました。 I offered my congratulations to Miss Ueda.
💡明日は 父の 誕生日ですから、家族で お祝いを します。

【22】正解 3
よごれる〈汚れる〉＝汚く なる
服が 汚れました。 My clothes got dirty.
⚠「汚れた〜」＝汚い〜　例 食事の あとで 汚れた お皿を 洗います。

【23】正解 2
ひどい＝とても 強い／とても 悪い

ひどい 風が 吹いて います。 Wind is blowing hard.
💡今日は ひどい 天気です。／かぜを ひいて、ひどい 熱が 出ました。 I caught a cold and had a terrible fever.
⚠「風が 吹く」「雨が 降る」例 今日は 強い 風が 吹いて、雨も 降って います。

【24】正解 3
おっしゃいました《おっしゃる》＝言いました
先生が おっしゃいました。 The teacher said.〔honorific〕
⚠「おっしゃる」：「言う」の 尊敬語〔honorific〕。

【25】正解 1
〜おきに every other 〜
一日 おきに 掃除を します。 I clean every other day.
💡一日 おきに 掃除を する。
例 ●掃除を する　○掃除を しない

月曜日	火曜日	水曜日	木曜日	金曜日	土曜日	日曜日
●	○	●	○	●	○	●

用法
Usage

第1回

【1】正解 1
へんじ〈返事〉 answer, response
出席できるか どうか、返事を ください。 Please reply and let me know if you can attend.

正しいことば
2 借りた ものは 早く 返した ほうが いいです。
3 部屋が 汚いので 掃除を して ください。
4 この 問題の 正しい 答えは 3番です。

【2】正解 3
そだてる〈育てる〉 to grow (plants etc.), to raise (a child)
彼女は 3人の 子どもを 育てて います。 She is raising three children.

正しいことば
1 わたしは 外国の 切手を 集めて います。
2 日本語の 勉強を ずっと 続けて います。
4 そこに ごみを 捨てては いけませんよ。

【3】正解 1
めずらしい〈珍しい〉 rare, unusual
あれは 珍しい 鳥ですね。初めて 見ました。 That is a rare bird. I've seen it for the first time.
⚠ 南の 島で 雪が 降るのは とても 珍しい ことです。

正しいことば
2 知らない／行った ことが ない 国へ 旅行に 行きたいです。
3 その 人に 会った ことは ありません。知らない 人です。
4 クラスに 新しい 生徒が 入りました。

【4】正解 4
よてい〈予定〉 plan
今年の 夏休みには 何を する 予定ですか。 What are your plans for the summer vacation this year?

正しいことば
1 電話で 店の 予約を しました。
2 わたしは 将来 大学の 先生に なりたいと 思っています。

⚠「予定」は「前に 決めて おく こと」。将来 先生に なりたいと 思っても、実際に 先生に なれるか どうかは わからない。何に なるかを 今から 決める ことは できないので、「予定」という ことばは 合わない。 "Yotei" is "what one has already decided previously." Even if you want to become a teacher in the future, you don't know if you actually can become a teacher. You cannot decide what you're going to be now, so it's not proper to use "yotei."
3 授業が よくわかる ように、家で 予習を します。

【5】正解 2
すてる〈捨てる〉 to throw, to dump
古い ものや いらない ものを 全部 捨てました。 I threw all the old stuff and things I didn't need.
✏ ごみを 捨てる 日は 月曜日と 金曜日です。

正しいことば
1 家に 入った どろぼうを つかまえました。
3 お金を 拾ったので、すぐ 交番に 届けました。
4 今日は、忙しい 母の 仕事を 手伝いました。

第2回

【6】正解 3
きんじょ〈近所〉 neighborhood
毎朝 近所を 散歩します。 I walk around the neighborhood every morning.

正しいことば
1 この 店の 休みの 日は 金曜日です。
2 靴の 売り場は 2階に あります。
4 タクシーの 乗り場は どこですか。

【7】正解 1
みつかる〈見つかる〉 to be found
探して いた 財布が 見つかって よかったです。 I'm glad I found my wallet I had been looking for.
⚠「見つかる」と「見つける」 例 財布が 見つかった。／財布を 見つけた。

正しいことば
2 うちの 猫が いないので、一緒に 探して ください。
3 ここは 店が たくさん あって とても にぎやかです。
4 ここは 海が 見えて、とても いい ところですね。

【8】正解 4

こまかい〈細かい〉 small (change)

細かい お金が ありません。千円札なら あります。
I don't have any small change, but do have a thousand-yen bill.

🖊 今日は 細かい 雨が 降って います。

正しいことば
1 うちには 小さい 子どもが 3人 います。
2 この 季節は 晴れる 日が 多くて、雨の 日は 少ないです。
3 その 紙は 薄いけれど、じょうぶです。

【9】正解 3

人口 population

この 町の 人口は どんどん 増えて います。 The population of this town is growing rapidly.

正しいことば
1 わたしの 家族の 人数は 4人です。
2 運転する ときは 事故を 起こさない ように 気を つけましょう。
4 寝る 前に 歯(teeth)を よく みがいて ください。

【10】正解 3

あやまる to apologize

友だちに 失礼な ことを 言って しまったので、「ごめんなさい」と あやまりました。 I said something rude to my friend, so apologized to him saying "I'm sorry."

正しいことば
1 これから お世話に なるので、「よろしく」と あいさつしました。
2 お世話に なった 人に「ありがとう」と お礼を 言いました。
4 「食事に 行きませんか」と 友だちを さそいました。

第3回

【11】正解 4

ようじ〈用事〉 affairs, errand, things to do

用事が あるので、先に 失礼します。 I'm leaving now because there's something I need to do.

正しいことば
1 旅行の 用意／準備／支度は もう できましたか。
2 会議／仕事が 始まりますから、すぐに 集まってください。
3 母は スーパーで 仕事／アルバイト／買い物を しています。

【12】正解 2

はこぶ〈運ぶ〉 to carry

この 荷物を 家の 中に 運んで ください。 Please carry this pack into the house.

正しいことば
1 島へ 行く 人は この 船に 乗って ください。
3 外国へ 行く ときは パスポートを 持って いってください。
4 毎日 子どもを 車で ようちえんへ 送って います。

【13】正解 3

ふかい〈深い〉 deep

この 川は 深いから、泳ぐのは 危険です。 It's dangerous to swim in this river because it's deep.

正しいことば
1 あの ビルは 日本で いちばん 高い 建物です。
2 寒い 日は 厚い／暖かい セーターを 着ます。
4 重い／大きな／たくさんの 荷物を 運ぶ ときは、車を 使います。

【14】正解 2

おれい〈お礼〉 thanks, gratitude

お世話に なった 中山さんに お礼の 手紙を 書きました。 I wrote a letter of thanks to Mr. Nakayama who offered kindness to me.

⚠「お礼を 言う」 例 親切に 教えて くださった 先生に お礼を 言いました。

正しいことば
1 結婚の お祝いに きれいな お皿を もらいました。
3 食事の 後に 甘い おかしを 食べます。
4 旅行に 行くと、いつも 家族に おみやげを 買います。

【15】正解 1

やむ to stop, to quit

雪が やみました。 The snow stopped falling.

⚠「雨／雪／風が やむ」 例 昨日から 強い 風が 吹いていて、やみません。

N4 解答

正しいことば
2 雲が 消えました／出ました。
3 空が 晴れました／曇りました。
4 火が 消えました／つきました。

第4回

【16】正解 2
まんなか〈真ん中〉 middle, center
この 写真の 真ん中に いる 人は 田中さんです。 The person in the center in this photo is Mr. Tanaka.

正しいことば
1 朝の 電車の 中は とても こんで います。
3 わたしは 山の 中に 住んで います。
4 この まんが／本／小説、おもしろいので 読んで みませんか。

【17】正解 1
おれる〈折れる〉 to break
強い 風で 木の 枝が 折れて しまいました。 A strong wind broke the branch of the tree.

⚠️「折れる」もの＝長くて かたい もの 例 木、柱、棒、骨 など things to break (oreru)= things that are long and hard such as trees, pillars, sticks, bones, etc.

正しいことば
2 大事な お皿が 割れて しまいました。
3 台風で 家が 倒れて／こわれて しまいました。
4 糸を 強く 引いたら 切れて しまいました。

【18】正解 4
ていねい《ていねい(な)》 polite, careful
この 辞書は 説明が ていねいです。 This dictionary has detailed explanations.

✏️ これは 大事な 手紙ですから、ていねいに 書かなければ なりません。 This letter is important, so I need to write it carefully.

正しいことば
1 うちの 犬は 頭が よくて、とても かわいいです。
2 わたしの 学校は スポーツが さかんです。
3 社長の 家は 大きくて りっぱです。

【19】正解 2
あじ〈味〉 taste
この 果物は どんな 味か、食べて みましょう。 I'm going to sample this fruit to see how it tastes.

正しいことば
1 彼女が 作る 料理／料理の 味は おいしいです。
3 この 肉は 味が いい／味が 悪いです。
4 ずっと 立って いたので、足が 痛く なりました。

【20】正解 3
たまに occasionally
映画は あまり 見ませんが、たまに 見に 行く ことも あります。 I don't watch movies much but go see them occasionally.

✏️ たまに 手紙も 書くけれど、連絡は たいてい 電話で します。 I occasionally write a letter, but usually make a phone call to contact someone.

正しいことば
1 昨日の 朝から ずっと 雨が 降って いて、やみません。
2 寒い 日が 続きましたが、今日は やっと 暖かく なりました。
4 月曜日から 土曜日まで 毎日 働いて います。

第5回

【21】正解 3
じこ〈事故〉 accident
昨日 ここで 車の 事故が ありました。 There was a car accident here yesterday.

正しいことば
1 わからない ことばが あったら、辞書を 見ます。
2 昨日 欠席した 理由を 話して ください。
4 もっと 大きい 字で 書いて ください。

【22】正解 4
わらう〈笑う〉 to laugh
泣かないで 笑って ください。 Please laugh instead of crying.

正しいことば
1 どうぞ その いすに 座って ください。
2 この シャツは 洗って ありますか。
3 皿を 落として、割って しまいました。

【23】正解 3

ひま《ひま(な)》 free, not busy
今週は 仕事が ないので、ひまです。 I'm free this week because I don't have work.

📝 子どもが 小さかった ときは 忙しかったけれど、今は 子どもが 大きく なったので、**ひまに なり ました。** I was busy when my children were small but now that they are bigger, I am more free.

正しいことば
1 朝早いので、町は まだ <u>静か</u>です。
2 電車は <u>すいて いました</u>から、座れました。
4 今日は 雨が 降りそうですから、かさが <u>必要</u>です。

【24】正解 2

みなと〈港〉 port
港で 大きい 船を 見ました。 I saw a large ship at the port.

正しいことば
1 わたしの 国は 日本の <u>南</u>に あります。
3 家に 入る ときは <u>げんかん</u>で 靴を 脱いで ください。
4 車を スーパーの <u>駐車場</u>に 止めて 買い物を しました。

【25】正解 1

さいきん〈最近〉＝このごろ
最近 父の 体の 具合が よく ありません。 My father hasn't been feeling well recently.

📝 前は よく 運動しました。でも、**最近**は 忙しくて 運動を する 時間が ありません。

正しいことば
2 <u>今度</u> 一緒に 食事を しませんか。
3 <u>さっき</u> ご飯を 食べた ばかりなので、まだ おなかが いっぱいです。
4 <u>もうすぐ</u> 電車が 来ますから、下がって お待ち ください。

文法 【Grammar】

形 提示の凡例　形 Explanatory Note

これは解説の中で示した文法の形についての説明です。
解説の中で形がよくわからないときは、ここを見てください。
This is the explanation on 形 in grammar touched on in the commentary.
In case you have difficulty understanding the explanation of 形 in the commentary, please refer to this page.

例「A＝動詞／い形容詞・普通形」＝Aには〈動詞の普通形〉と〈い形容詞の普通形〉が入る。
例「A＝動詞・辞書形・可能形」＝Aには〈動詞の辞書形〉と〈動詞の可能形〉が入る。

[動詞] verb　例「行く」(1グループ)　「食べる」(2グループ)

- 【普通形】行く／行かない／行った／行かなかった　食べる／食べない／食べた／食べなかった
- 【辞書形】行く　食べる
- 【ます形】行き(ます)　食べ(ます)
- 【ない形】行か(ない)　食べ(ない)
- 【て形】行っ(て)　食べ(て)
- 【た形】行っ(た)　食べ(た)
- 【仮定形】行け(ば)　食べ(れば)
- 【意向形】行こ(う)　食べ(よう)

[い形容詞] i-adjective　例「大きい」

- 【普通形】大きい／大きくない／大きかった／大きくなかった
- 【〜】大きい
- 【〜⇔】大き　例 大きそうだ
- 【て形】大きく(て)　＊「ない」の【て形】＝なくて　例 行かない⇒行かなくて　例 行かなくてもいい
- 【〜た】大きかっ(た)　例 パンが大きかったので、切って食べた。
- 【〜ば】大きけれ(ば)　例 パンが大きければ、切ってください。

[な形容詞] na-adjective　例「きれい」

- 【普通形】きれいだ／きれいではない／きれいだった／きれいではなかった
- 【て形】きれい(で)　例 この花は色がきれいで、においもいい。
- 【〜】きれい　例 きれいかもしれない
- 【〜な】きれいな　例 きれいな花／新しいから、きれいなはずだ。
- 【〜た】きれいだっ(た)　例 部屋がきれいだったら、そうじしなくてもいい。
- 【〜ならば】きれいなら(ば)　例 部屋がきれいならば、気持ちがいい。

[名詞] noun　例「学生」

- 【普通形】学生だ／学生ではない／学生だった／学生ではなかった
  - 例 あの人は学生だそうだ／学生ではないそうだ／学生だったそうだ／学生ではなかったそうだ
- 【〜】学生　例 あの人は学生らしい／学生かもしれない
- 【〜の】学生の　例 あの人は学生のようだ／学生のはずだ
- 【〜で】学生(で)　例 学生でもかまいません。
- 【〜ならば】学生なら(ば)　例 学生ならば、入場料が安くなる。

文の文法1
Sentential grammar 1 (Selecting grammar form)

第1回

【1】正解 4
この ケーキは 一つ 800円も します。 This cake costs 800 yen for just one piece.

> **ポイント**
> 意味 「800円も する」＝ 800円は 高い
> 文法 〈も〉

形 [Aも] A＝数詞 numeral
意味 多い（と 思う）
✎ 一杯 1,000円も する コーヒーを 飲んだ。 I had a coffee costing 1,000 yen. ／今日は 3時間も 勉強したので、疲れた。 I put in 3 long hours for studying today, and I am tired.

【2】正解 2
この 荷物の 重さは 何キロですか。 How much kilograms does this luggage weigh?

> **ポイント**
> 意味 「重さ」＝どれくらい 重いか how much weigh
> 文法 〈さ〉

形 [Aさ] A＝い形容詞 [～⇌]、な形容詞 [～]
例 「長い」→「長さ」、「便利な」→「便利さ」
Exception 「いい」→「よさ」
意味 どれくらい Aか how (A: much/many/long…) it is
✎ この 机の 高さは 68センチメートルです。 The height of this desk is 68 centimeters.
⚠ ほかに、「速さ」「おもしろさ」「広さ」「静かさ」など

【3】正解 3
この 料理は 簡単ですから、子どもでも 作れますよ。 This dish is simple enough for children to make.

> **ポイント**
> 意味 「子どもでも 作れます」⇒この 料理は とても 簡単だ This dish is very simple to make.
> 文法 〈でも〉

形 [Aでも B] A＝名詞
意味 Aの 場合も B。だから、〜 *Taking an extreme example, it emphasizes "〜". ☞See 文の文法2【14】
✎ 漢字は 難しいです。先生でも 間違える ことが あります。 Kanji is difficult. Even a teacher sometimes makes mistakes.
⚠ [Aでも]（A＝名詞）は、次の 使い方も ある。[A demo] (A=noun) can also be used in the following example.
◇ 意味① Aの 場合も in case of A 例 コーヒーが なければ お茶でも いいです。 In case you don't have coffee, tea will do.
◇ 意味② 例えば A A for example 例 お茶でも 飲みませんか。 Would you like some tea? *Tea is an example for something to drink.

【4】正解 2
すみません。ちょっと 用事が あるので、先に 帰ります。 Excuse me for leaving before you, but I have an errand to run.

> **ポイント**
> 意味 「用事が あるので」＝用事が あるから
> 文法 〈ので〉

形 [Aので B] A＝動詞／い形容詞／な形容詞 [～な]／名詞 [～な]・普通形
意味 A（だ）からB * A is the reason for B
✎ 疲れたので、もう 寝ます。 As I'm tired, I go to bed now. ／時間が ないので、旅行に 行けません。 I don't have time, so I cannot go on a trip.

【5】正解 4
今朝の 天気予報に よると、大きい 台風が 来るそうだ。 According to the weather forecast this morning, a big typhoon is said to be coming.

> **ポイント**
> 意味 「大きい 台風が 来る そうだ」＝大きい 台風が 来ると 聞いた heard a big typhoon was approaching
> 文法 〈そうだ〉

形 [Aそうだ] A＝動詞／い形容詞／な形容詞／名詞・普通形
意味 Aと 聞いた * A is what was heard of
✎ 田中さんから 電話が ありました。今日は 来られない そうです。 Mr. Tanaka called. (He said) he would not be able to come today.
⚠ [Aそうだ] A＝動詞・ます形／い形容詞 [～⇌]／な形容詞 [～] * describe a situation 例 空が 暗く なって きました。雨が 降りそうですね。 The sky is getting dark. It looks like rain. ／おいしそうな ケーキ

25

ですね。さあ、食べましょう。The cakes look delicious. Let's have it.

【6】正解 2
子どもの とき、カメラを こわして 父に しかられた。When I was little, I got scolded by my father for breaking a camera.

> **ポイント**
> 意味 「父に しかられた」＝父が わたしを しかった
> 文法 受け身文

形 [A れる] ＊動詞受け身形 [passive verb]
◇動詞1グループ・ない形 [～ない] 例「しかる」→「しから<s>ない</s>」→「しかられる」
◇動詞2グループ・ない形 [～<s>ない</s>]＋ら 例「食べる」→「食べ<s>ない</s>」→「食べられる」
◇動詞3グループ・「する」→「さ」、「来る」→「来ら」 例「する」→「される」、「来る」→「来られる」
[(Bは) Cに A れる] ＊C：person (doing) A B：person who receive the action done by C
意味 Cが Bを A（する） C does A on/over/against... B
📝 漢字の テストが 100点だったので、母に ほめられました。As I got a perfect score in my kanji test, I got praised by my mother.／山田さんは 先生に 呼ばれました。Mr. Yamada was summoned by his teacher.
⚠ [Cが Bの ～を A（する）] の 受け身文は、[Bは Cに ～を A れる]。Passive sentence of [C ga B no ～ o A(suru)] is [B ha C ni ～ o A reru]. 例 泥棒が わたしの 財布を とった。A thief stole my wallet. →わたしは 泥棒に 財布を とられた。My wallet was stolen by a thief.

【7】正解 3
子どもたち、静かに なりましたね。寝た ようですね。Children are quiet now. They seem to have fallen asleep.

> **ポイント**
> 意味 「寝た ようです」＝寝たと 思う
> 文法 〈ようだ〉

形 [A ようだ] A＝動詞／い形容詞／な形容詞 [～な]／名詞 [～の]・普通形
意味 Aと 思う think being/doing A
📝 みんなが テレビを 見て 笑って います。おもしろい 番組の ようです。They are laughing watching TV. The program seems to be amusing.／かさを さして 歩いて いる 人が 見えます。外は 雨が 降っ

ている ようです。I see people walking with umbrellas open. It seems to be raining outside.

【8】正解 4
今月に 入ってから 急に 寒く なって きましたが、お元気ですか。Suddenly it's getting cold since the beginning of this month, how have you been?

> **ポイント**
> 意味 「寒く なって きました」＝ It's getting colder lately
> 文法 〈て くる〉

形 [A て くる] A＝動詞・て形 ＊A：verb expressing a change（「～なる」「増える」など）
意味 show significant change
📝 日本語が ずいぶん 上手に なって きましたね。これからも がんばって ください。Your Japanese has improved a lot. Do keep it up.
⚠ [A て いく] A＝動詞・て形 ＊(from now on) the change advances/progresses 例 これから もっと 寒く なって いくでしょう。From now on it'll get much colder.

【9】正解 2
A「え、会社、やめたいの？」
B「そんな ことは 言って いないよ。仕事が 忙しくて 大変だと 言ったんだよ。」
A: What? You want to quit a job?
B: No, I didn't say that. I said it's hard being busy at work.

> **ポイント**
> 意味 「そんな こと」＝会社を やめたいと いうこと that one wants to quit a job
> 文法 〈そんな〉

形 [そんな A] A＝名詞
意味 その ような
📝「すみません。赤い ぼうしを かぶった 男の 人を 見ませんでしたか」―「さあ、そんな 人は 見ませんでしたよ」"Excuse me. Have you seen a man with a red cap?" "Well, no, I didn't see such a man."
⚠「こんな」「あんな」「どんな」
◇「こんな」＝このような 例 このケーキは とても おいしいですね。こんな ケーキは 初めて 食べました。This cake is very delicious. This is the first time I've had a cake like this.

◇「あんな」＝あのような　例「あの 家は 大きくて きれいですね」－「ええ。あんな 家に 住みたいですね」"That house is big and beautiful." "Yes. I wish I could live in the house like that."

◇「どんな」＝どのような　例「どんな 人と 結婚したいですか」－「優しい 人が いいです」"What type of man would you like to marry?" "I like a man who is kindhearted."

【10】正解 4

社長は 何時ごろ お帰りに なるでしょうか。What time would the president get back?

ポイント
意味 「お帰りに なるでしょうか」＝帰りますか
文法 〈お～に なる〉

形 [おAに なる]　A＝動詞・ます形　＊honorific of verb A　例「書きます」→「お書きに なる」「（電話を）かけます」→「おかけに なる」

意味 (one's superior) (do) A

社長は これから お出かけに なります。The president is leaving now.／先生は 新聞を お読みに なって います。The teacher is reading newspapers.

⚠「見（ます）」「い（ます）」「来（ます）」「し（ます）」は「お～に なる」を 使わない。
◇「見ます」→「ご覧に なる」
◇「います」→「いらっしゃる」「おいでに なる」
◇「来ます」→「いらっしゃる」「おいでに なる」
◇「します」→「なさる」

【11】正解 1

長い 時間 座り続けて いるのは 体に よくない。It's not good for your body to keep sitting for a long time.

ポイント
意味 「座り続けて いる」＝ずっと 座って いる　keep on sitting
文法 〈続ける〉

形 [A続ける]　A＝動詞・ます形
意味 ずっと A（する）、A（する）のを やめない　keep/continue doing A, not stopping to do A

日記を 10年間 書き続けました。I had kept writing a diary for ten years.／小さい 子が ずっと 泣き続けて いる。どうしたのだろう。A little child keeps crying for quite a while. I wonder what happened to her.

【12】正解 3

A「トムさんの ネクタイ、いいですね。」
B「あれは トムさんの 誕生日に わたしが あげたものです。」
A: Tom's tie looks cool.
B: That's my birthday gift for Tom.

ポイント
意味 「トムさんの 誕生日に わたしが あげた」＝わたしが トムさんに プレゼントした
文法 〈あげる〉

形 [（Aを）あげる]　A＝名詞
意味 プレゼントする　give a present

結婚する 山田さんに お祝いを あげました。We gave a wedding gift to Ms.Yamada who is going to get married.

⚠
◇[Aて あげる]　A＝動詞・て形　＊means to do a good deed　例 友だちに かさを 貸して あげた。I lent an umbrella to my friend.／田中さんは キムさんに 日本語を 教えて あげた。Mr. Tanaka taught Ms. Kim Japanese.

◇[Aを やる]　A＝名詞　＊means to give something to one's junior, plants or animals　例 毎朝 庭の 花に 水を やります。I water flowers in my garden every morning.／弟に わたしの カメラを やった。I gave my camera to my younger brother.

【13】正解 3

A「毎日 暑いですね。」
B「ええ。でも、去年の 夏ほど 暑くないですね。」
A: It's so hot day after day, isn't it?
B: Yes, but it's not as hot as last summer.

ポイント
意味 「去年の 夏ほど 暑くない」＝去年の 夏の ほうが 暑い　it was hotter last summer
文法 〈～ほど ～ない〉

形 [（Aは）Bほど ～ない]　A／B＝名詞
意味 Aも Bも ～だが、Bの ほうが Aより ～だ

富士山は 高い 山だが、エベレストほど 高くない。Mt. Fuji is high, but not as high as Mt. Everest.／山田さんは サッカーが 上手だが、田中さんほど 上手では ない。Mr. Yamada is good at playing soccer, but not as good as Mr. Tanaka.

N4解答

【14】正解 1
事故の ために 電車が 止まって います。 Due to an accident, train service is being stopped.

> **ポイント**
> **意味**「事故の ために」＝事故が あったから
> because there was an accident
> **文法**〈ために〉

形 [Aために] A＝動詞／い形容詞／な形容詞 [〜な]／名詞 [〜の]・普通形

意味 Aが 原因で

✏️ 地震の ために 家が 倒れた。 The house collapsed in the earthquake. ／たばこの 火を 消さなかった ために 火事に なった。 As a cigarette was left burning, a fire broke out.

⚠️「ために」can also express a purpose. **例** 車を 買う ために アルバイトを しています。 I'm working part-time to buy a car. ／子どもの ために お菓子を 作りました。 I made sweets for my children.

【15】正解 4
兄は、イギリスに 留学したのに、英語が うまく ない。
My elder brother studied in England, but he is not good at English.

> **ポイント**
> **意味**「留学したのに」＝イギリスに 留学したから 英語が うまい はずだが、そうでは なくて because he studied in UK, he should be good at English, but he isn't
> **文法**〈のに〉

形 [Aのに] A＝動詞／い形容詞／な形容詞 [〜な]／名詞 [〜な]・普通形

意味 Aけれども ＊contrary to the expectation from A

✏️ 誕生日の プレゼントを あげたのに 妹は 喜ばなかった。 I gave my sister a birthday gift, but she wasn't happy about it. ／来ると 言ったのに 来なかった。 He said he would come, but he didn't.

第2回

【16】正解 1
雨が 降るかも しれないから、かさを 持って 出かけよう。 It might rain, so I'll go out with an umbrella.

> **ポイント**
> **意味**「かさを 持って 出かけよう」⇒今 雨は 降って いないが、これから 降る 可能性が ある It's not yet raining now, but there is a possibility of rain.
> ＝「雨が 降るかも しれない」
> **文法**〈かも しれない〉

形 [Aかも しれない] A＝動詞／い形容詞／な形容詞 [〜]／名詞 [〜]・普通形

意味 There's a possibility of A.

✏️ 今朝から のどが 痛い。かぜを ひいたかも しれない。 I'm having a sore throat since this morning. It's possible that I've caught a cold.

【17】正解 1
出発は 9時ですから、8時 50分までに 集まって ください。 The departure time is 9:00, so please assemble by 8:50.

> **ポイント**
> **意味**「8時 50分までに 集まって ください」⇒8時 50分より 遅くなっては だめだ it should be no later than 8:50
> **文法**〈までに〉

形 [Aまでに B] ＊A：the words signify time, such as hour, year, month and day

意味 Aの 前に Bする do B before the time A

✏️ 今週の 土曜日までに レポートを 出さなければ いけない。 We have to submit our report by this Saturday.

【18】正解 3
彼は わたしが 作る 料理を 食べるだけで、自分で 作った ことが ない。 He only eats the dishes I prepare, and he has never cooked by himself.

> **ポイント**
> **意味**「食べるだけ」＝食べるけれど、ほかの ことは しない he eats meals, but doesn't do anything else
> 「作った ことが ない」have no experience of cooking
> **文法**〈だけ〉

形 [Aだけ] A＝動詞・辞書形

意味 Aは するが、ほかの ことは しない do A, but don't do anything else

✏️ サッカーは 見るだけで やった ことが ありません。 I only watch soccer games, and have never played it.

⚠️ A＝名詞も ある。**意味** 全部 A **例** この クラス

は 男の 学生だけで、女の 学生は いない。 There are only boy students in this class, and no girls.

【19】正解 4
この ナイフは パンを 切るのに 使います。 This knife is used for slicing bread.

> **ポイント**
> 意味 「パンを 切るのに」＝パンを 切る ために for slicing bread
> 文法 〈のに〉

形 [Aのに] A＝動詞・辞書形
意味 Aする ときに／ために ＊(use) for A
例 友だちと 連絡するのに メールを 使って います。 I use e-mails for communicating with my friends.
⚠ [名詞＋に] の 文も ある。 例 連絡に メールを 使う。 I use e-mails for communicating. ／これは 料理に 使う ナイフです。 This knife is used for cooking.

【20】正解 4
A「荷物、重そうですね。お持ちしましょう。」
B「すみません。ありがとうございます。」
A: Your luggage looks heavy. Can I help you with it?
B: Thank you. I appreciate it.

> **ポイント**
> 意味 「お持ちしましょう」＝わたしが 持ちます Aが Bの 荷物を 持つ A carries B's luggage
> 文法 〈お〜する〉

形 [おAする] A＝動詞・ます形 ＊humble form
例 「待ちます」→「お待ちする」「(電話を) かけます」→「おかけする」
意味 (あなた＝話して いる 相手) の ために Aする doing A for (you=the person talking to)
例 A「写真を おとりしましょうか」－B「ありがとうございます」 "Shall I take your picture?" "Thank you." ＊Aが Bの 写真を とる／Aが Bの ために 写真を とる A takes B's picture/A takes picture for B
⚠ 「見 (ます)」「い (ます)」「行きます」「来 (ます)」「し (ます)」は 「お〜する」を 使わない。
◇「見ます」→「拝見する」
◇「います」→「おります」
◇「行きます」→「参ります」「伺います」
◇「来ます」→「参ります」「伺います」
◇「します」→「いたします」

【21】正解 2
うちでは 子どもに 掃除や 洗濯を させて います。 We have our children do cleaning and washing.

> **ポイント**
> 意味 「子どもに 掃除や 洗濯を させて います」＝子どもが 掃除や 洗濯を する
> 文法 使役文 〈(さ)せる〉

形 [A(さ)せる] ＊動詞使役形
◇動詞1グループ・ない形 [〜ない] 例「書く」→「書かせる」
◇動詞2グループ・ない形 [〜ない] ＋さ 例「食べる」→「食べさせる」
◇動詞3グループ・「する」→「させる」、「来る」→「来させる」
[(Bが) Cに A(さ)せる] ＊B:「A(し)なさい」と 言う 人 C: A(する) 人
意味 Bが Cに 「A(し)なさい」と 言う B tells C to do A ＝ C does A by order of B
例 先生が 学生に 本を 読ませました。 Teacher had the students read a book.
⚠ Also, you can say 'Bが Cを A(さ)せる'. When the actions C takes are '帰る (to return)', '立つ (to stand)', '走る (to run)', '泣く (to cry)' or '笑う (to laugh)', which do not take '〜を (intransitive verb)', you would say '〜Cを' instead of '〜Cに'. 例 先生が 学生を 帰らせます。 The teacher made the students return. ／兄が 妹を 泣かせました。 A brother made his sister cry.

【22】正解 3
この 会社では みんなが 英語を 話すので、日本語が できなくても かまわない。 Everyone speaks English in this company, so it doesn't matter if one cannot speak Japanese.

> **ポイント**
> 意味 「日本語が できなくても かまわない」＝日本語が できない 人も だいじょうぶだ。 There's no need for someone to be able to speak Japanese.
> 文法 〈ても かまわない〉

形 [Aても かまわない] A＝動詞・て形
意味 Aでも だいじょうぶだ it's alright to be A
例 「明日、休んでも いいですか」－「はい。明日は 忙しくないので、休んでも かまいません」 "Is it alright to take a day off tomorrow?" "Sure. It won't be busy tomorrow, so it's alright for you to take a day off."

⚠ [A なくても かまわない] A＝動詞・ない形
＝A（し）ないでも だいじょうぶだ it's alright not to do A 例 先生「レポートを 出した 人は 試験を 受けなくても かまいません」 "Those who submitted reports would not have to take the examination."

【23】正解 2
客「すみません。この スカート、はいて みたいんですが。」
店員「はい。どうぞ、こちらへ。」
Customer: Excuse me. I'd like to try this skirt on.
Sales Clerk: Sure. This way please.

> **ポイント**
> 意味 「はいて みたい」＝ want to try on the skirt to see if it's good on me
> 文法 〈て みる〉

形 [A て みる] A＝動詞・て形
意味 try
✏ 「スノーボードを した ことが ありますか」－「いいえ、ありません。一度 して みたいです」 "Have you ever done snowboarding?" "No, I haven't. But I would like to try it once."

【24】正解 2
みなさん、わたしが やりますから 見て ください。始めに こう やって 手を 前に 出します。 Everybody, please look at how I do. First, you put your hands forward like this.

> **ポイント**
> 意味 「こう やって」＝わたしが やって いるのと 同じ ように just as I do
> 文法 〈こう〉

形 [こう A] A＝動詞
意味 これと 同じ ように like this
✏ 学生「『えき』と いう 漢字は どう 書きますか」－先生「見て ください。こう 書きます」 "How do you write kanji 'eki'?" "Look. It's written like this."

⚠ 「そう」「ああ」「どう」
◇ 「そう A」＝それと 同じ ように A（する）／そのように A（する） (do) A in the same way as that / (do) A just like that 例 「この 本は おもしろいですよ」－「あなたが そう 言うなら、わたしも 読んで みます」 "This book is interesting." "I'll read it as you say so."
◇ 「ああ A」＝あれと 同じ ように A（する）／あのように A（する） (do) A in the same way that / (do) A like that 例 （2人は ケーキ屋で ケーキを 作るのを 見ている）「ああ やって 作るんですね」－「ケーキを 作るのは 大変ですね」 (Two are watching how the cakes are made at a pastry shop.) "The cakes are made in that way, aren't they?" "It's a tough job making cakes."
◇ 「どう A」＝どのように A（する） how to do A 例 「バスが 来ませんね。どう しましょうか」－「タクシーに 乗りましょう」 "Buses are not coming. What shall we do?" "Let's take a taxi."

【25】正解 4
鳥に なって 空を 飛ぶ 夢を 見る ことが ある。 I sometimes dream of flying in the sky, turning into a bird.

> **ポイント**
> 意味 「見る ことが ある」＝ときどき 見る
> 文法 〈ことが ある〉

形 [A ことが ある] A＝動詞・辞書形
意味 ときどき A（する） sometimes do A
✏ たいてい 駅まで 歩きますが、バスに 乗る ことも あります。 I usually walk to the station, but sometimes take a bus.

【26】正解 3
国に 帰ったら 日本語を 教える 仕事を しようと 思います。 When I return to my country, I intend to teach Japanese.

> **ポイント**
> 意味 「しようと 思います」＝する つもりだ intend to do ～
> 文法 〈（よ）うと 思う〉

形 [A（よ）うと 思う] A＝動詞・意向形
意味 A（する） つもりだ
✏ 夏休みに 沖縄へ 行こうと 思います。 I think I will travel to Okinawa during the summer vacation.／大学を 卒業したら、旅行会社で 働こうと 思います。 I intend to work for a travel agent after graduating from college.

【27】正解 1
A「田中さん、遅いですね。」
B「この 映画を ぜひ 見たいと 言って いましたから、来る はずです。もう 少し 待ちましょう。」
A: Mr. Tanaka is being late.
B: He said he would love to see this movie, so he should come. Let's wait for a while.

ポイント
意味 「来る はず」＝ think he is sure to come
文法 〈はずだ〉

形 [Aはずだ] A＝動詞／い形容詞／な形容詞［〜な］／名詞［〜の］・普通形
意味 think 〜 must (do/be) A
例 今 午後 5時ですから、彼の 仕事は もうすぐ 終わる はずです。It's five p.m., he should finish his work shortly. ／ケーキを 10個 買った。3人で 2つずつ 食べたから、4個 残っている はずだ。I bought 10 pieces of cake. Three people had 2 peaces each, so there should have been 4 left.

【28】正解 1
これ、書きやすい ペンだね。もう 1本 買おう。
This is a pen easy to write with. I'm going to buy one more.

ポイント
意味 「書きやすい」＝楽に 書く ことが できる can write well/easily
文法 〈やすい〉

形 [Aやすい] A＝動詞・ます形
意味 easy to do A
例 この 靴は とても 歩きやすいので、いつも はいています。Because these shoes are comfortable, I always wear them.
⚠「すぐ A（する）」という 意味の 使い方も ある。This can also be used to mean 'do A easily.' 例 この コップは ガラスが 薄くて 割れやすいから 注意してください。This glass is made of thin glass and breaks easily, so please handle it with care. ／砂糖と 塩は 間違えやすい。Sugar and salt are easily mistaken for the other one.

【29】正解 3
道が わからなくて 困って いたら、近くに いた 人が 教えて くれた。When I couldn't find my way and was at a loss, a person nearby showed me the way.

ポイント
意味 「近くに いた 人が 教えて くれた」＝近くに いた 人が わたしに 教えた a person nearby showed me the way
文法 〈て くれる〉

形 [(Bが) Aて くれる] A＝動詞・て形
意味 because (B does) A, I am happy/grateful

例 田中さんが わたしの 荷物を 持って くれたので、うれしかった。I was grateful that Mr. Tanaka helped me with my luggage. ／母が わたしに きれいな ハンカチを 買って くれた。My mother bought me a beautiful handkerchief.
⚠ ○「わたしは 友だちに かさを 貸して あげた」
I lent an umbrella to my friend.
×「友だちが わたしに かさを 貸して あげた」
○「友だちが わたしに かさを 貸して くれた」
My friend lent me an umbrella.

【30】正解 4
赤い かさですか。赤い かさなら ここに ありますよ。
A red umbrella? The red umbrella is here.

ポイント
意味 「赤い かさなら」＝（あなたが 探している）赤い かさは the red umbrella (which you are looking for) is
文法 〈なら〉

形 [Aなら] A＝名詞
意味 Aは ＊A is what's being talked about
例 「テレビを 買いたいんですが」ー「テレビなら 電気店が 安いですよ」 "I want to buy a TV set." "If you want a TV set, it's cheaper at electric appliance stores."
⚠ It also describes assumption and condition.
◇assumption：例 明日 雨なら サッカーは しません。If it rains tomorrow, we won't play soccer. ／明日 ひまなら 映画を 見に 行きます。If I'm free tomorrow, I'll go see movies.
◇condition：例 日曜日なら 時間が あります。If it's Sunday, I have free time. ／あなたが 行くなら わたしも 行きます。If you go, I will go too.

第3回

【31】正解 3
冷蔵庫に りんごとか バナナとか、果物が いろいろ 入れて あります。There are a variety of fruits in the refrigerator, like apples and bananas.

ポイント
意味 「りんごとか バナナとか」＝例えば、りんごや バナナなど such as apples and bananas
文法 〈とか・とか〉

形 [A₁とか A₂とか] A＝動詞／い形容詞／な形容詞／名詞

意味 例えば A₁、A₂、… ＊to cite an example

🖊 タイとか ベトナムとか、アジアの 国の 料理が 食べたいです。 I would like to have the dishes of Asian countries, like Thai and Vietnam.／ジョギングを する とか プールで 泳ぐとか、何か 運動を した ほう が いいですよ。 It's better for you to do some exercises, such as jogging or swimming in the pool.

【32】正解 3

留学したいので、今の 仕事を やめる ことに しました。 I have decided to resign from my current job because I want to study abroad.

> **ポイント**
> **意味** 「仕事を やめる ことに しました」＝仕事を やめると 決めた have decided to resign
> **文法** 〈ことに する〉

形 [Aことに する] A＝動詞・辞書形／ない形

意味 A（する）ことを 決める

🖊 わたしたちは 来年 結婚する ことに しました。 We have decided to marry next year.

【33】正解 2

弟は もうすぐ 試験が あるのに、毎日 ゲームばかり して 遊んで います。 My younger brother is having an examination soon, but he does nothing but playing video games every day.

> **ポイント**
> **意味** 「ゲームばかり して」＝ずっと ゲームを して いて（勉強しないで） is playing video games all his time (and does not study)
> **文法** 〈ばかり〉

形 [Aばかり] A＝名詞

意味 Aだけ、全部 A

🖊 テレビばかり 見て いないで、勉強しなさい。 Don't spend all your time watching TV, do study.／この 近くは 家ばかりで、店が ない。 They are all houses and there're no stores around here.

【34】正解 4

田中さんは 明るいし、みんなに 親切だから 友だち が 多い。 Mr. Tanaka has many friends because he is cheerful and kind to everyone.

> **ポイント**
> **意味** 「明るいし、みんなに 親切だから」＝（友だちが 多い）理由は 「明るい」 ことと 「親切」 なことだ the reason (he has many friends) is his being 'cheerful' and 'kind'
> **文法** 〈し〉

形 [Aし（、Bから／ので、C）] A＝動詞／形容詞／名詞・普通形

意味 Cの 理由は AとBだ the reason for C is A and B

🖊 頭が 痛いし、熱も あるから、今日は 仕事を 休みます。 As I have a headache and fever, I am taking a day off today.／色も いいし、においも いいので、この 花を 買いました。 I bought this flower because it has a nice color and smells so good.

【35】正解 2

いらっしゃいませ。どうぞ お入りください。 Thanks for coming. Please come in.

> **ポイント**
> **意味** 「お入りください」＝入って ください
> **文法** 〈お〜ください〉

形 [おAください] A＝動詞・ます形

意味 A（して）ください please do A

🖊 こちらで お待ちください。 Please wait here.／どうぞ 飲み物を お取りください。 Please get yourself something to drink.

⚠ 「見（ます）」「着（ます）」「い（ます）」「来（ます）」「し（ます）」は「お〜ください」を 使わない。
◇「見ます」→「ご覧ください」「ご覧に なって ください」
◇「着ます」→「お召しください」「お召しに なって ください」
◇「います」→「いらっしゃって ください」「おいで ください」
◇「来ます」→「いらっしゃって ください」「おいで ください」
◇「します」→「なさって ください」

【36】正解 3

漢字が 読めないと この 仕事は できません。 You cannot do this work unless you can read kanji.

ポイント
意味 「読めないと」＝漢字を 読む ことが できない 場合は if you cannot read kanji
文法 可能形 〈（られ）る〉

形 [A（られ）る] ＊動詞可能形
◇動詞1グループ 書く（ウ）→書け（エ）＋る
 例 飲む→飲める
◇動詞2グループ A る＋られる 例 食べる→食べられる
◇動詞3グループ 「する」→「できる」、「来る」→「来られる」

意味 A（する）ことが できる can do A

わたしは 500メートル 泳げます。I can swim 500 meters. ／ここは 電話が かけられませんが、あそこは かけられます。You cannot make a phone call here, but you can do over there. ／この 美術館は レストランが あるので 食事も できます。This museum has a restaurant and you can have dinner too.

【37】正解 2

どうぞ 靴を はいた まま お入りください。Please come in with your shoes on.

ポイント
意味 「はいた まま」＝靴を 脱がないで
文法 〈た まま〉

形 [Aた まま] A＝動詞・た形

意味 without changing the condition of being A

兄は めがねを かけた まま 寝て います。My brother is asleep with his glasses on. ／この 店は いすが ありません。立った まま 飲んだり、食べたり します。This restaurant has no chairs. We eat and drink standing up.

【38】正解 4

あ、いけない。また 寝坊を して しまった。Oh, dear! I overslept again.

ポイント
意味 「寝坊を して しまった」＝寝坊を したのは よく なかった it wasn't good to oversleep
文法 〈て しまう〉

形 [Aて しまう] A＝動詞・て形

意味 よくない こと／残念な ことを する do something wrong/regrettable

約束を 忘れて しまった。I forgot the appointment. ／パスポートを なくして しまった。I have lost my passport.

⚠ It also means 'put 〜 to an end'. 例 全部 食べて しまいなさい。Eat up everything. ／早く 仕事を やって しまって、飲みに 行こう。Let's finish up work quickly and go for a drink.

【39】正解 1

いくら 頼まれても、この カメラは 貸して あげない。It's no use asking me to lend this camera to you.

ポイント
意味 「いくら 頼まれても」＝たくさん 頼んだ 場合も／頼む ことは 関係なく no matter how strongly one asks for/nothing to do with what is being asked for ⇒ 絶対 貸さない no lending on any terms
文法 〈いくら〜ても〉

形 [Aても] A＝動詞／形容詞・て形

意味 even if how hard one does A, not relevant to A

いくら 食べても 太らない。No matter how much she eats, she does not gain weight. ／いくら 安くても 買いません。However cheap it may be, I will not buy it.

【40】正解 1

A「今夜の 食事、何に する？」
B「ぼくは イタリア料理が いいな。」
A: What would you like for dinner?
B: I would like Italian.

ポイント
意味 「何に する？」＝何を 食べますか
文法 〈に する〉

形 [Aに する] A＝名詞、動詞・辞書形＋こと

意味 Aに 決める

客「この 靴に します。これを ください」"I'll go for these shoes. I'll take these." ／「夏休み、どうしますか」－「わたしは 友だちと 一緒に 中国へ 行く ことに しました」"What are your plans for the summer?" "I have decided to visit China with my friends."

【41】正解 4

今朝から おなかが 痛い。ゆうべ 食べすぎた ようだ。I'm having a stomachache since this morning. I think I had too much to eat last night.

N4 解答

> **ポイント**
> **意味** 「食べすぎた」＝ the amount of food one ate was too much
> **文法** 〈すぎる〉

形 [Aすぎる] A＝動詞・ます形、い形容詞[～い]、な形容詞[～]

意味 go beyond a certain level

例 この 靴は 大きすぎて、歩きにくい。These shoes are too big for me and uncomfortable to walk in. ／働きすぎて、病気に なった。I became ill from overworking.

【42】正解 1
試験を 受けなかった 学生は レポートを 書かなければ ならない。The students who did not take the examination are required to write a report.

> **ポイント**
> **意味** 「レポートを 書かなければ ならない」＝ need to write a report
> **文法** 〈なければ ならない〉

形 [Aなければ ならない] A＝動詞・ない形[～ない]

意味 need to do A

例 図書館で 借りた 本は 返さなければ ならない。The books borrowed from the library need to be returned. ／外国へ 行く ときは パスポートを 持って いかなければ ならない。You must carry your passport when going abroad.

【43】正解 4
ケーキが 焼けました。おいしいか どうか 食べて みて ください。A cake was baked. Please taste it to see if it's good.

> **ポイント**
> **意味** 「おいしいか どうか」＝おいしいか、おいしく ないか
> **文法** 〈か どうか〉

形 [Aか どうか] A＝動詞／い形容詞／な形容詞[～]／名詞[～]・普通形

意味 Aか、Aでは ないか

例 旅行に 行くか どうか、今 考えて います。Now I'm thinking if I go on a trip or not. ／母は いつも わたしに 元気か どうか 聞きます。My mother always asks me if I'm doing fine.

⚠ [{interrogative} ＋～か] 例「どこへ 行きますか」－「まだ 決めて いません」→ どこへ 行くか まだ 決めて いません。I have not yet decided where to go.

【44】正解 2
A「今 どこですか。」
B「そちらに 向かって 歩いて いる ところです。もうすぐ 着きます。」
A: Where are you now?
B: I'm heading over to you on foot. I should get there shortly.

> **ポイント**
> **意味** 「歩いて いる ところです」＝今 歩いて います
> **文法** 〈て いる ところ〉

形 [Aて いる ところ] A＝動詞・て形

意味 今 Aして いる

例 今 食事を して いる ところです。ちょっと 待って ください。I'm just having dinner now. Could you wait for a minute?

⚠ ◇ [Aところ] A＝動詞・辞書形 ＊ just before doing something, the situation just before (it) happens
例 弟は 今 出かける ところです。My brother is about to leave. ＝これから 出かける

◇ [Aた ところ] A＝動詞・た形 ＊ having just done A now
例 今 出かけた ところです。He has just gone out now. ＝もう 出かけた

【45】正解 1
道路が こんで いるから、タクシーより 電車の ほうが いいと 思います。As the roads are congested, I think trains are better than a taxi.

> **ポイント**
> **意味** 「タクシーより 電車の ほうが いい」＝電車が いい
> **文法** 〈～より ～の ほうが〉

形 [Aより Bの ほうが いい] A／B＝名詞

意味 AとBを 比べると、Bが いい When comparing A with B, B is better.

例 わたしは 肉より 魚の ほうが いいです。＝魚が いい

⚠ ◇ [Aより Bほうが いい] (A／B＝動詞・辞書形／ない形)＝A(する／しない)のと B(する／しない)のを 比べると、B(する／しない)ほう

がいい 例休みの日は出かけるより家で本を読むほうがいい。On holidays I prefer reading a book at home to going out.

◇ [Aほうがいい]（A＝動詞・辞書形／た形／ない形）＝ recommend/advise/encourage (to do or don't do) A　例体の具合が悪いときは仕事を休んだほうがいい。When you don't feel well, it's better to take a day off.

文の文法2
Sentential grammar 2 (Sentence composition)

解説のパターン

□□の前は△△が合う。Before □□, △△ matches.
□□の後は△△が合う。After □□, △△ matches.
□□の前に△△は合う。Before □□, △△ matches.
□□の後に△△は合う。After □□, △△ matches.
□□の後に△△は合わない。After □□, △△ does not match.

○：合う、または正しいという意味
　　Match or Correct
×：合わない、または正しくないという意味
　　No match or Incorrect

第1回

【1】正解 4
A「あの人、知っているんですか。」
B「ええ。前にかさを₃貸して₁もらった₄こと₂があります。」

A: Do you know that person?
B: Yes, I have borrowed an umbrella from him before.

ポイント〈てもらう〉〈たことがある〉
①「あります」の前は「～が」が合う。→「が-あります」
　⇒前にかさを＿＿＿＿＿＿★＿＿があります。
②「が-あります」の前は名詞が合う。→「こと-が」
③「こと」の前は動詞、形容詞、名詞の普通形が合う。→「もらった-こと」
　⇒前にかさを＿＿＿もらった★こと＿があります。
④「(かさ)を」の後は動詞が合う。→「かさを-貸して」
⑤「かさを-貸して」の後に「もらった」は合う。

⚠

◇ [(Aは) BにCてもらう] A／B＝人　C＝動詞・て形　意味 BがAのためにCする B does C for A　例荷物が重かったので田中さんに持ってもらった。＝田中さんがわたしの荷物を持った。わたしは田中さんに「ありがとう」と言った。
Mr. Tanaka carried my luggage for me. I said to him, "Thank you."

◇ [Aた ことが ある] A=動詞・た形　A：今までに 自分が やった こと the thing one has done　意味 have experienced　例「ＵＦＯを 見た ことが ありますか」—「いいえ、ありません。一度 見て みたいです」"Have you ever seen a UFO?" "No, I haven't seen one. I would like to see it just for once."

【2】正解 1

今夜は ₂寒く ₄なり ₃そうだから ₁出かけない ₃ほうが いいですよ。 It seems to get colder tonight, so you'd better not to go out.

ポイント 〈そう〉〈ほうが いい〉

① 「寒く」の 後は 「なる」が 合う。＊「なり」は 「なる」の ます形→「寒く なり」
② 「いいです」の 前は 「〜が」が 合う。→ 「〜ほうが-いいです」
　⇒ 今夜は 寒く　なり　___　★　ほうが　いい ですよ。
③ 「ほうが」の 前は 動詞、形容詞、名詞の 普通形が 合う。→ 「出かけない-ほうが」
　⇒ 今夜は 寒く　なり　___★　出かけない　ほうが いいですよ。
④ 「そうだ」の 前は 動詞・ます形か 動詞・辞書形が 合う。→ 「なり-そうだから」

⚠ [Aそう]
① A=動詞・ます形　意味 もうすぐ Aだろう soon (it will be) A　例 空が 暗く なりました。雨が 降りそうです。The sky has grown dark. It looks like rain. ／あ、ひもが 切れそうですよ。Oh, the string is about to be snapped.
② A=い形容詞［〜⇌］、な形容詞［〜］　意味 Aの 感じが する feel like A　例 おいしそうな ケーキですね。食べて みたいです。They are delicious-looking cakes. I'd like to have one. ／店に 客が いません。店員は ひまそうです。No customer is in the store. Sales clerks seem to be unoccupied.
③ A=動詞／い形容詞／な形容詞／名詞・普通形　意味 Aと 聞いた have heard (it to be) A ＊hearsay expression　例 天気予報に よると、明日 雨が 降るそうだ。According to the weather forecast, it's going to rain tomorrow. ／田中さんの 話に よると、駅の 前に 新しい スーパーが できる そうです。Mr. Tanaka said a new supermarket would open in front of the station.

【3】正解 4

A「ここで たばこを ₃吸っては いけない ₄と いう ₁ことを 知って いるでしょう？」
B「はい。すみません。」

A: You know smoking is prohibited in this place, don't you?
B: Yes, I do. My apologies.

ポイント 〈ては いけない〉〈と いう こと〉

① 「(たばこ)を」の 後は 動詞が 合う。→「たばこを-吸う」→「たばこを-吸っては」
　⇒ ここで たばこを 吸っては ___ ★ ___ 知って いるでしょう？
② 「知って《知る》」の 前は 「〜を」が 合う。→「ことを-知って」
　⇒ ここで たばこを 吸っては ___ ★ ことを 知って いるでしょう？
③ 「吸っては」の 後に 助詞は 合わない。→「吸っては-と いう」× →「吸っては-いけない」○
　⇒ ここで たばこを 吸っては いけない ★ ことを 知って いるでしょう？
④ 「いけない-と いう-ことを」は 合う。

⚠
◇ [Aては いけない] A=動詞・て形　意味 A（する）のは だめだ don't do A　例 子どもは お酒を 飲んでは いけません。
◇ [Aと いう こと] A=文　＊nominalize A　例 来年 田中さんが 結婚する と いう ことを 友だちに 聞きました。I've heard from my friend that Mr. Tanaka is getting married next year.

【4】正解 1

A「うちの 子、外で ₂遊び ₄たがらない ₁ので ₃心配 なんです。」
B「あ、うちの 子も 同じです。」

A: My child does not want to play outside, so I'm worried.
B: Oh, it's the same with my child.

ポイント 〈たがる〉〈ので〉

① 「外で」の 後は 動詞が 合う。→「外で-遊ぶ」→「外で-遊び」
② 「たがらない」の 前は 動詞・ます形が 合う。→「遊び-たがらない」
　⇒ うちの 子、外で 遊び たがらない ★

＿＿＿なんです。
③「なんです」の前は、な形容詞［〜］、名詞［〜］が合う。→「心配-なんです」
④「ので」の前は動詞、形容詞、名詞の普通形が合う。→「遊び-たがらない-ので」

⚠️
◇［Ａたがる］Ａ＝動詞・ます形　意味（自分以外の人が）Ａしたいと思う (someone other than oneself) wants to do A　例 わたしはイタリア料理を食べたいのですが、友だちは日本料理を食べたがっています。I feel like having Italian food, but my friends are for Japanese food.
◇［Ａので Ｂ］Ａ＝動詞／い形容詞／な形容詞［〜な］／名詞［〜な］・普通形　意味 ＡからＢ　＊Ａ：Ｂの理由 reason for B　例 おなかが痛いので 会社を休みました。As I had a stomachache, I took a day-off.

【5】正解3
家を ４出ようと １した ３とき ２に 母から電話がかかってきた。Just as I was leaving home, I had a phone call from my mother.

ポイント 〈（よ）うと する〉
①「（家）を」の後は動詞が合う。→「家を-した」か「家を-出ようと」→「家を」の後は「出る」が合う。→「家を-出ようと」
⇒ 家を 出ようと ＿＿＿ ★ ＿＿＿ 母から電話がかかってきた。
②「とき」の前は動詞、い形容詞、な形容詞［〜な］、名詞［〜の］の普通形が合う。→「した-とき」
③「した《する》」の前は「〜を」「〜で」「〜に」「〜と」が合う。→「出ようと-した」→「出ようと-した-とき」
⇒ 家を 出ようと した ★とき ＿＿＿ 母から電話がかかってきた。
④「とき」の後に「に」は合う。→「とき-に」→「出ようと-した-とき-に」

⚠️
◇［Ａ（よ）うと した とき］Ａ＝動詞・意向形　意味 Ａ（する）すぐ前に／Ａ（する）ちょっと前に just before doing A, a little before doing A　例 乗ろうとしたときにドアが閉まって電車に乗れなかった。

第２回
【6】正解1
先生に 教えて ４いただいた ２ことを １忘れない ３ように します。I will keep reminding myself of what my teacher has taught me.

ポイント 〈いただく〉〈こと〉〈ない ように する〉
①「教えて」の後は「いる」「ある」「もらう（いただく）」「あげる（さしあげる）」「くれる（くださる）」が合う。→「先生に 教えて-いただいた」
⇒ 先生に 教えて いただいた ＿＿＿ ★ ＿＿＿ します。
②「いただいた」の後に「する」は合わない。→「いただいた-ことを」か「いただいた-ように」
③「忘れない」の後に「する」は合わない。→「忘れない-します」×
⇒ 先生に 教えて いただいた ＿＿＿ ★忘れない ＿＿＿ します。
④「先生に 教えて-いただいた-ことを-忘れない-ように-します」か「先生に 教えて-いただいた-ように-忘れない-ことを-します」→「先生に 教えて-いただいた-ことを-忘れない-ように-します」がいい。

⚠️
◇「いただく」は「もらう」の謙譲語〔humble form〕
①［Ａを いただく］意味（目上の人に）Ａをもらう receive A from a superior　例 先生に 本を いただいた。The teacher gave me some books.
②［Ａて いただく］Ａ＝動詞・て形　意味（目上の人が自分のために）Ａ（する）a superior does A for me　例 先生に 写真を 見せて いただいた。The teacher showed me some pictures.
◇［Ａこと］Ａ＝動詞／い形容詞／な形容詞［〜な］／名詞［〜の］・普通形　＊"koto" nominalizes verb and adjective　例 田中さんが 結婚した ことを 知って いますか。Do you know Mr. Tanaka has gotten married?
◇［Ａように する］Ａ＝動詞・辞書形／ない形　意味 try to do/not to do A　例 かぜを ひかない ようにして ください。Do take care not to catch a cold.／毎日駅まで 歩く ようにして います。I try to walk to the station every day.

【7】正解 2

A「ヤンさん、卒業したら どう するんでしょうね。」
B「帰国して お父さんの 会社で ₄働く つもりだ ₂と ₃言って いますよ。」

A: I wonder what Mr. Yan would do after graduating.
B: He says he is going to return to his country to work for his father's company.

ポイント 〈つもり〉〈と 言う〉

①「働く」の 前は「会社で」が 合う。→「会社で-働く」
②「つもりだ」の 前は 動詞・辞書形/ない形 が 合う。→「働く-つもりだ」→「会社で-働く-つもりだ」
⇒ 会社で 働く つもりだ ★ ＿＿＿ いますよ。
③「います」の 前に「〜と」は 合わないが、動詞・て形は 合う。→「言って-います」
⇒ 会社で 働く つもりだ ★ 言って いますよ。
④「言って-います」の 前に「〜と」は 合う。→「と-言って-いますよ」

⚠ ◇[Aつもりだ] A＝動詞・辞書形/ない形 **意味** Aと 思っている、Aの 予定だ think to do A, plan to do A **例** 夏休みに 帰国する つもりです。I'm thinking of going home for the summer./明日の パーティーには 行かない つもりです。I don't plan to go to the party tomorrow.

◇[Aと 言う] A＝動詞/い形容詞/な形容詞/名詞・普通形 ＊A：what one says/has said **例** 先生が 明日 テストを すると 言いました。The teacher announced that he would give us a test tomorrow.

【8】正解 1

A「あ、ガラスが ₂割れた ₄ような ₁音が ₃しました ね。」
B「ええ。ちょっと、見てきます。」

A: Oh, it sounded like glass was broken.
B: Yes, it did. Let me go look.

ポイント 〈（音）が する〉〈ような〉

①「ガラスが」の 後は「割れた」が 合う。→「ガラスが-割れた」
⇒ ガラスが 割れた ＿＿ ★ ＿＿ ね。
②「音が」の 後は「する」が 合う。→「音が-しました」
③「ような」の 後は 名詞が 合う。→「ような-音が」
→「ような-音が-しました」

⚠ ◇[Aが する] ＊A＝「音」「におい」「味」
「音が する」＝音が 聞こえる **例** 外で 遊ぶ 子どもの 声が する。I hear the voices of children playing outside./花の いい においが します。Flowers smell so good./この ケーキは へんな 味が します。This cake tastes strange.

◇[Aような B] A＝動詞・普通形、名詞 [〜の] **意味** Aは Bに 似て いる A is similer to B ＊simile **例** 猫の ような 目 eyes like a cat／酒を 飲んだ ような 赤い 顔 red face like a drank／彼は いつも 笑って いる ような 顔を して います。His face always looks like smiling.

【9】正解 4

妻の ₃誕生日を ₁忘れて 妻を ₂怒らせて しまった。

I forgot about my wife's birthday, which made her really upset.

ポイント 〈（さ）せる〉〈て しまう〉 ☞ See 文の文法1【38】

①「妻の」の 後は 名詞が 合う。→「妻の-誕生日を」
⇒ 妻の 誕生日を ＿＿ ★ ＿＿ しまった。
②「誕生日を」の 後は 動詞が 合う。→「妻の-誕生日を-忘れて」か「妻の-誕生日を-怒らせて」→「妻の-誕生日を-忘れて」が いい。
⇒ 妻の 誕生日を 忘れて ★ ＿＿ しまった。
③「しまった」の 前は 動詞・て形が 合う。→「怒らせて-しまった」
④「怒らせて-しまった」の 前に「妻を」は 合う。

⚠ ◇[A（さ）せる] ＊動詞使役形 A＝動詞1グループ・ない形 [〜ない]/2グループ・ない形 [〜ない]＋さ/3グループ・「する」→「させる」、「来る」→「来させる」 **意味**「〜しなさい」と 言う tell someone "to do 〜" **例** 先生が 学生に 本を 読ませました。A teacher made the students read a book./子どもに 野菜を 食べさせます。I make my children eat vegetables./毎日 子どもに 勉強を させます。I make my children study every day.

【10】正解 1

旅行会社の 店員「大阪まで、飛行機と 新幹線 ₄と ₃どちら ₁で ₂行かれますか。」
客「新幹線で お願いします。」

Travel Agent: For going to Osaka, which would you prefer, a plane or bullet train?
Customer: I would like the bullet train, please.

ポイント 〈～と ～と どちら〉〈受け身形の 尊敬表現〉

① 「どちら」の 前は「～と ～と」が 合う。→「～と ～と-どちら」→「飛行機と 新幹線と-どちら」
⇒ 大阪まで、飛行機と 新幹線 と どちら ★ ＿＿ か。

② 「行かれます《行く》」の 前は「(乗り物) で」が 合う。→ 飛行機で 行くか、新幹線で 行くか →「どちらで-行くか」
⇒ 大阪まで、飛行機と 新幹線 と どちら ★ で 行かれます か。

◇ [AとBとどちら] A／B＝名詞 ＊A、Bを 比べる 例 新幹線と 飛行機と どちらが 速いですか。Which is faster, bullet trains or planes？／赤い かばんと 白い かばんと どちらが いいですか。Which would you like, a red or white bag?

◇ [Aれる] ＊動詞受け身形〔passive form〕, honorific of A A＝動詞1グループ・ない形［～ない］／2グループ・ない形［～ない］＋ら／3グループ・「する」→［される］、「来る」→［来られる］ 例 これは 先生が 書かれた 本です。This is the book the teacher wrote. ＝お書きに なった 本／社長は 何時に 帰られますか。What time would the president return? ＝お帰りに なりますか

第3回

【11】正解 1

A「わたしが 知らない 人に 家の かぎの ₄開け ₃方を ₁教える ₂はずが ありませんよ。」
B「そうですよね。」

A: There's no way that I would tell the stranger how to unlock the key to my house.
B: Yes, I know.

ポイント 〈はずが ない〉〈かた〉

① 「ありません《ある》」の 前は「～が」が 合う。→「はずが-ありません」
⇒ わたしが 知らない 人に 家の かぎの ＿＿ ＿＿ ★ はずが ありませんよ。

② 「はずが」の 前は 動詞、い形容詞、な形容詞［～な］、名詞［～の］の 普通形が 合う。→「教え

る-はずが」

③ 「教える」の 前は「～を」が 合う。→「方を-教える」
⇒ わたしが 知らない 人に 家の かぎの ＿＿ 方を ★ 教える はずが ありませんよ。

④ 「方」の 前に 動詞・ます形が 合う。→「開け-方」→「かぎの-開け-方を」○

◇ [Aはずが ない] A＝動詞／い形容詞／な形容詞［～な］／名詞［～の］・普通形 意味 it's not possible to be/do A 例 あの まじめな 田中さんが 仕事を 途中で やめて 帰る はずが ありません。Mr. Tanaka, who is so diligent, can't have gone home in the middle of work.

◇ [A方] A＝動詞・ます形 意味 A(する) 方法 the way to do A 例 田中さんに パソコンの 使い方を 教えて もらい ました。Mr. Tanaka showed me how to use a PC.

【12】正解 3

A「山田さんたちの ミーティング、まだ 終わらないんですか。」
B「ええ、問題が ₄多 ₁すぎて ₃大変 ₂らしい ですよ。」

A: Hasn't the meeting by Mr. Yamada and others been finished yet?
B: No, it hasn't. They seem to be in trouble with too many issues.

ポイント 〈すぎる〉〈らしい〉

① 「らしい」の 前は 動詞、い形容詞、な形容詞［～］、名詞［～］の 普通形が 合う。→「大変-らしい」

② 「です」の 前は い形容詞［～い］、な形容詞［～］名詞［～］が 合う。→「らしい-ですよ」→「大変-らしい-ですよ」
⇒ 問題が ＿＿ ＿＿ ★ 大変 らしい ですよ。

③ 「すぎる」の 前は 動詞・ます形、い形容詞［～い］、な形容詞［～］が 合う。→「多-すぎて」→「多-すぎて-大変」○

◇ [Aすぎる]

① A＝い形容詞［～い］／な形容詞［～］ 意味 とても Aで よくない it is too A and troubled 例 この 部屋は 暑すぎます。クーラーを つけて ください。

N4解答

This room is too hot. Turn on the air-conditioner, please.

②A＝動詞ます形　意味 do A excessively　例 食べすぎて おなかが 痛い。I've eaten too much and I'm having a stomachache.

◇ [Aらしい]

① A＝動詞／い形容詞／な形容詞 [〜]／名詞 [〜]・普通形　意味 Aと 聞いた／見た／読んだが、本当か どうか わからない　one heard, saw or read A, but not sure if it's true　例 歌手の アンナが 結婚するらしいですよ。

② A＝名詞　意味 showing characteristics of A　例 今日は 暖かくて 春らしい 天気ですね。It's a springlike balmy weather today.

【13】正解 4

A「大川先生の 60歳の お誕生日の プレゼントは もう 決まりましたか。」
B「はい。みんなで 先生が ₂お好きな ₁バラの 花を ₄さしあげる ₃ことに なりました。」

A: Have you decided on a gift for Ms. Ookawa's 60th birthday?
B: Yes. We decided to give her favorite flower roses.

ポイント 〈さしあげる〉〈ことに なる〉

① 「なりました《なる》」の 前は 「〜に」が 合う。→「ことに-なりました」
⇒ みんなで 先生が ＿＿＿ ＿＿＿ ★ ＿＿＿ ことに なりました。

② 「バラの 花を」の 後は 「さしあげる《あげる》」が 合う。→「バラの 花を-さしあげる」

③ 「お好きな」の 後は 名詞が 合う。→「お好きな-バラの 花を」か「お好きな-ことに」
⇒ みんなで 先生が バラの 花を さしあげる ★お好きな ことに なりました。×
⇒ みんなで 先生が お好きな バラの 花を さしあげる ことに なりました。○

◇ 「さしあげる」：「あげる」の 尊敬語 〔honorific〕
例 先生に 写真を さしあげました。I gave some photos to my teacher.／お父さまに この 写真を 見せて さしあげて ください。You show this photo to your father, please.

◇ [Aことに なる] A＝動詞・辞書形　意味 『Aする』と 決まる　例 来月 国へ 帰る ことに なりました。I am going to return to my home country next month.／毎

週 火曜日に ミーティングを する ことに なっています。It is set to have a meeting on Tuesdays.

◇ 「お好きな」：「好きな」の 尊敬表現〔expression of respect〕
[おA] A＝形容詞　例 先生は お忙しいです。＝先生は 忙しい／「先生、お元気ですか」＝先生は 元気ですか。

【14】正解 3

A「明日は 休日だから、仕事、休みでしょう？」
B「いや、今月は 休日 ₁でも ₄会社に ₃行かなければ ₂ならない んです。」

A: It's a holiday tomorrow, so you are off your work, aren't you?
B: No, I have to go to work even on holidays this month.

ポイント 〈でも〉〈なければ ならない〉

① 「んです」の 前は 動詞、い形容詞、な形容詞 [〜な]、名詞 [〜な] の 普通形 が 合う。→「ならない-んです」
⇒ 今月は 休日 ＿＿＿ ＿＿＿ ★ ならない んです。

② 「ならない」の 前は 「〜なければ」が 合う。→「行かなければ-ならない-んです」

③ 「休日」の 後は 助詞が 合う。→「休日-でも」
⇒ 今月は 休日 でも ＿＿＿ ★行かなければ ならない んです。

④ 「会社に」の 後に 「行かなければ-ならない」（＝行く）は 合う。

◇ [Aでも] A＝名詞
意味 ① Aの 場合も　in case of A, if A　例 コーヒーが なければ お茶でも いいです。If you have no coffee, tea will do.
意味 ② Aの 場合も B。だから、〜　例 こんな 簡単な 問題の 答えは 子どもでも わかります。This question is easy enough for children to answer.
意味 ③ 例えば A　例 お茶でも 飲みませんか。Would you like some tea?

◇ [Aなければ ならない] A＝動詞・ない形 [〜ない]
意味 need to do A　例 来週 試験が あるから 勉強しなければ ならない。I have a test next week, so I need to study.／これは 図書館で 借りた 本です。来週の 火曜日までに 返さなければ なりません。This is the book borrowed from the library. I would have to

return it by next Tuesday.

【15】正解 1
切符を 持って ₄いない ₂と ₁入る ₃ことが できません。 Without a ticket, you cannot get in.

ポイント 〈と〉〈ことが できる〉

①「できません」の 前は「〜が」が 合う。→「ことが-できません」
⇒切符を 持って ___ ___ ★ ことが できません。

②「ことが-できません《できる》」の 前は 動詞・辞書形が 合う。→「入る-ことが-できません」
⇒切符を 持って ___ ★入る ことが できません。

③「持って」の 後に「と」は 合わないが、「いる」は 合う。→「持って-いない」→「持って-いない-と」
⇒切符を 持って いない と ★入る ことが できません。

⚠
◇ [Aと、B] A＝動詞／い形容詞／な形容詞／名詞・普通形　意味 A（する）と いつも B When (one) does A, it always does B　例 春に なると、花が 咲きます。When spring comes, flowers bloom. ／お金が ないと、何も 買えません。Without money, you can't buy anything.

◇ [Aことが できる] A＝動詞・辞書形　意味 A（する）能力が ある、A（する）ことが 可能で ある／Aしても いい capable of doing A, possible to do A/ OK to do A　例 わたしは 日本語を 話す ことが できます。I can speak Japanese. ／この デパートでは 映画も 見る ことが できます。You can see movies as well at this department store. ／この 部屋では たばこを 吸う ことが できません。You cannot smoke in this room.

第4回

【16】正解 3
おなかが いっぱいで ₄食べられない ₁なら ₃食べなくても ₂いい ですよ。If you are full and can't eat any more, you wouldn't have to eat them.

ポイント 〈可能形〉☞See 文の文法1【36】〈なら〉〈てもいい〉

①「食べなくても」の 後は「いい」が 合う。→「食べなくても-いい」

②「おなかが いっぱいで」の 後は、「おなかが いっぱい」な ために 起こる ことが 合う。After "onaka ga ippai de (as one is full)", things happen after that would fit in. →「おなかが いっぱいで-食べられない」
⇒おなかが いっぱいで 食べられない ___ ★ ___ ですよ。

③「ですよ」の 前は 形容詞、名詞が 合う。→「いい-です」→「食べなくても-いい-ですよ」
⇒おなかが いっぱいで 食べられない ___ ★食べなくても いい ですよ。

④「なら」の 前は 動詞、い形容詞、な形容詞 [〜]、名詞 [〜] の 普通形が 合う。→「食べられない-なら」→「食べられない-なら-食べなくても-いい」〇

⚠
◇ [Aなら] A＝動詞／い形容詞／な形容詞 [〜]／名詞 [〜]・普通形　意味 Aの 場合は in case of A, if A　例 明日 いい 天気なら、海へ 行きます。If the weather is good tomorrow, I'm going to the sea. ／あなたが 行くなら わたしも 行きます。If you are going, so am I.

◇ [Aても いい] A＝動詞・て形　意味 permit (doing) A　例 今日は もう 帰っても いいです。You can go home now. ／宿題を したら 遊びに 行っても いいですよ。You can go out to play after finishing your homework.

【17】正解 1
夜まで ₃仕事 ₂を ₁させられる ₄のは いやだ。I don't want to be forced overtime work into the night.

ポイント 〈(さ)せられる〉〈のは〉

①「いやだ」の 前は「〜が」「〜は」が 合う。→「のは-いやだ」
⇒夜まで ___ ___ ★ のは いやだ。

②「させられる《する》」の 前は「〜を」が 合う。→「を-させられる」

③「を」の 前は「仕事」が 合う。→「仕事-を-させられる」
⇒夜まで 仕事 を ★させられる のは いやだ。

⚠
◇ [A(さ)せられる] ＊使役受け身形 [passive causative

use) A＝動詞1グループ・ない形[～ない]／2グループ・ない形＋さ［食べない＋さ］／3グループ・「する」→[さ]、「来る」→[来さ] 意味「Aしなさい」と 言われて A（する） do A as (one) was told "to do A" 例子どもの とき 野菜が きらいだったが、母に 毎日 食べさせられた。When little, I did not like vegetables, but my mother made me eat them every day.

◇[Aのは] A＝動詞／い形容詞／な形容詞[～な]・普通形 意味 A ことは to do/doing A ＊ The function of this "no" is to nominalize verb and adjective. 例友だちと 旅行するのは 楽しいです。It is enjoyable to travel with friends.／サッカーを 見るのは 好きですが、するのは 好きでは ありません。I like watching soccer, but don't like playing it.／友だちが 多いのは いい ことです。It is nice to have many friends.

【18】正解 2

A「来月 フランスへ 行く そうですね。」
B「はい。ことばが ₁わかったら ₃楽しい ₂だろう ₄と 思って、今 フランス語を 勉強して います。」

A: I hear you are going to France go to next month.
B: Yes I am. As I thought it would be fun if I could understand the language, I'm studying French now.

ポイント 〈たら〉〈だろうと 思う〉

①「思って」の 前は「～と」が 合う。→「と-思って」
　⇒ことばが ＿＿＿ ★ と 思って、
②「だろう」の 前は 動詞、い形容詞、な形容詞[～]、名詞[～]の 普通形が 合う。→「楽しい-だろう」
③「と」の 前は 動詞、形容詞、名詞の 普通形が 合う。→「～だろう」は「～でしょう」の 普通形→「楽しい-だろう-と」
　⇒ことばが ＿＿＿ 楽しい ★ だろう と 思って、
④「ことばが」の 後は「わかったら《わかる》」が 合う。→「ことばが-わかったら」→「ことばが-わかったら-楽しい」○

⚠

◇「Aたら B」A＝動詞・た形、い形容詞[～た]、な形容詞[～た]、名詞[～た] ＊A：condition for being/doing B 例明日 雨が 降ったら 山に 登りません。If it rains tomorrow, we are not going to climb the mountain.／安かったら その シャツを 買います。If the price is low, I will buy the shirt.

◇[Aだろう]＝「Aでしょう」の 普通体 A＝動詞／い形容詞／な形容詞[～]／名詞[～]・普通形 意味 infer something to be A 例明日は 晴れるだろう。It will clear up tomorrow.／彼は 来ないだろう。He will not come.／この 国の 人口は 増えるだろう。The population of this country will grow.

◇[Aだろうと 思う] 意味 infer something to be A 例明日は いい 天気だろうと 思う。I think it'll be fine tomorrow.／もうすぐ 仕事が 終わるだろうと 思う。I think the work will be finished shortly.／家族は みんな 元気だろうと 思う。I think my family are all doing fine.

【19】正解 1

A「今夜、時間が ₃あれば ₂食事 ₁でも ₄しませんか。」
B「すみません。今夜は ちょっと。」

A: How about having dinner tonight, if you have time.
B: I'm sorry. I have some errand to run tonight.

ポイント 〈ば〉〈でも〉

①「時間が」の 後は「ある」が 合う。→「時間が-あれば」
　⇒今夜 時間が あれば ＿＿＿ ★ ＿＿＿ か。
②「か」の 前は 動詞、い形容詞、な形容詞[～]、名詞[～]の 普通形、「～ます／ません／ました／ませんでした／ましょう」「～です／では ありません／でした／では ありませんでした／でしょう／だろう」が 合う。→「しません-か」
　⇒今夜 時間が あれば ＿＿＿ ★ しません か。
③「食事」の 後は 助詞が 合う。→「食事-でも」→「食事-でも-しません-か」○

⚠

◇[Aば B] A＝動詞・仮定形、い形容詞[～ば]、な形容詞[～ならば]、名詞[～ならば] 意味 Aの 場合は in case of A ＊A：condition for being/doing B 例寒ければ エアコンをつけて ください。If you feel cold, turn on the air-conditioner, please.／お金が なければ 何も 買えません。Without money, we cannot buy anything.／練習すれば うまく なります。You can get better with practice.

◇[Aでも] A＝名詞 意味 例えばA A, for example 例コーヒーでも 飲みませんか。How about some coffee?＝コーヒーとか お茶とか、何か 飲み物を 飲みませんか。☞ See 文の文法2【14】

【20】正解 1

A「おはようございます。早いですね。」
B「はい。課長に ₁今朝の ₂会議に ₄遅れない ₁ように ₃言われて いますから。」

A: Good morning. You are early this morning.
B: Yes, I am. Because I was told by my manager not to be late for the meeting this morning.

ポイント 〈ように 言う〉

①「今朝の」の 後は 名詞が 合う。→「今朝の-会議に」
②「います」の 前は 動詞・て形か「〜が」「〜に」が 合う。→「言われて-います」
⇒ 課長に 今朝の 会議に ＿＿ ★ 言われて いますから。
③「ように」の 前は 動詞・辞書形・ない形が 合う。→「遅れない-ように」
④「ように」の 後は 動詞が 合う。→「ように-言われて」→「遅れない-ように-言われて-いますから」〇
⇒ 課長に 今朝の 会議に 遅れない ★ように 言われて いますから。

◇ [Aように 言う] A＝動詞・辞書形／ない形 ＊A: content of the instructions 例 弟に この 話は だれにも 言わない ように 言いました。＝「この 話は だれにも 言っては いけない」と 弟に 言った。I told my brother, "You mustn't tell a word of this to anyone else."／医者は 父に 毎日 運動を する ように 言いました。＝「毎日 運動して ください」と 医者は 父に 言った。The doctor told my father, "Do exercises every day."

文章の文法
Text grammar

第 1 回

正解 ①3 ②4 ③1 ④1 ⑤2

文章の意味

I'm living with my elder sister, but we have not been eating solid meals. Then, my sister got sick and was hospitalized. When she was released from the hospital, we were told by the doctor to have breakfast every morning. Now we have breakfast regularly and are in good health. I now understood the importance of following a sensible diet.

1

ポイント
「朝 起きるのが 遅くなって、何も（　）会社へ 出かける」:「何も」の 後には「〜ない」が 合う。→「何も（〜ない）」:「何も-食べなくて」か「何も-食べずに」
「何も-食べなくて」＝何も 食べないので→「何も 食べなくて 会社に 出かける」は 正しく ない。
「何も-食べずに」＝何も 食べないで→「何も 食べずに 会社に 出かける」＝（朝 時間が ないので、）何も 食べないで 会社へ 行く (having no time in the morning), one goes to work without eating anything ⇒合う。

◇ [Aずに] A＝動詞・ない形 [〜~~ない~~] ※「しない」→「せず」、「来ない」→「来ず」 意味 Aしないで
例 いい 天気なので かさを 持たずに 出かけました。As it was a nice day, I went out without an umbrella.／疲れたので 晩ごはんを 食べずに 寝ました。As I was tired, I went to bed without having dinner.

選択肢のことば

1「食べて 会社へ 出かける」:会社へ 行く 前に、朝ごはんを 食べる have breakfast before going to work →文章の 意味に 合わない。does not match with the meaning of the sentence

2 [Aなくて] A＝動詞・ない形 [〜~~ない~~] 意味 Aないので、食べなくて＝食べないので 例 うちの 子は 野菜を 食べなくて 困ります。It's a problem that my child would not eat vegetables.

4 [Aに] A＝動詞・ます形 意味 Aする ために to

43

N4解答

do A　例パンを買いにパン屋へ行きます。I go to a bakery to buy bread. ／コーヒーを飲みに行きませんか。Would you like to go for coffee?

2

ポイント
「食べる時間が決まっていませんでしたし、食べない（　）。こんな生活は体によくないと思っていましたが」：食べる時間は決まっていなかった。そして、食べない（　）。これは体によくない生活だと思う。→「食べる時間が決まっていない」ことと「食べない（　）」ことは「体によくない生活だ」と思う理由→「食べない（　）」：「ご飯を食べなかった」⇒「食べないこともありました」

◇[Aし、B]　意味 A。そして、B　*AとBは理由 both A and B are reasons　☞ See 文の文法1【34】

◇[Aことが／もある]　意味 ときどき Aする sometimes do A　☞ See 文の文法1【25】　例駅までたいていバスで行きますが、歩くこともあります。I usually take a bus to the station, but sometimes I walk.

選択肢のことば
1 [Aことになる]　☞ See 文の文法2【13】
2 [Aことがある]　☞ See 文の文法1【25】
3 [Aことにする]　☞ See 文の文法1【32】

3

ポイント
「わたしたちは生活を変えることができませんでした。（　）先月姉が病気になって入院しました」：生活を変えられなかった。体によくない生活が続いて、その結果 (as a result) ／最後に、姉が病気になった。⇒「とうとう」

◇[とうとうA]　意味 結局、最後に A eventually, in the end it's A　例友だちをずっと待っていたけれど、とうとう来なかった。I waited for my friend for quite a while, but after all he never did come.

選択肢のことば
2 [やっと A]　意味 長い間大変だったが／待って、Aになった having had a hard time for long while but/waited and got to be A　*A：待っていたことthe event waited for　例やっと仕事が終わりました。さあ、帰りましょう。Finally the work was done. Let's go home. ／やっとバスが来た。1時間も待った。A bus finally came. I have waited for one long hour.

3 [どんどん A]　意味 速く、たくさん A (する) do A quickly and a lot　例たくさん料理を作りました。どんどん食べてください。I made plenty of dishes. So, please feel free to eat as much as you like. ／日本に留学したら、日本語がどんどん上手になりました。Since I came to Japan to study, my Japanese has improved rapidly.

4 [そろそろ A]　意味 もうすぐ A　例9時ですよ。そろそろ帰りませんか。

4

ポイント
「姉が退院してから、…朝ご飯を食べる（　）」：前は朝ご飯を食べなかったが、今は食べている。変わった。(We) didn't eat breakfast before, but now (we) do. (We) have changed since. ⇒「食べるようになりました」

◇[Aように なる] A＝動詞・辞書形　意味 前は A しなかったが、今は A する　*there has been some changes　例田中さんは結婚してから早く家に帰るようになりました。Mr. Tanaka goes home early ever since he got married.

選択肢のことば
2 [Aところだ]　☞ See 文の文法1【44】
3 「Aようにされる」は使わない。☞ See [Aようにする] 文の文法2【6】
4 [Aだろうと思う]　☞ See 文の文法2【18】

5

ポイント
「毎日しっかり食事をすることが大切だ（　）よくわかりました」：食事が大切なことがわかった⇒「大切だということが」

◇[Aということ]　☞ See 文の文法2【3】

◇[Aがわかる]　例わたしはフランス語がわかります。I understand French. ／ニュースを見て、この国の人口が減っているということがわかりました。When I watched the news, I learned the population had decreased in this country.

選択肢のことば
1 [Aのはずが] A＝名詞　意味 Aの予定だったが scheduled for A　例英語の試験は明日のはず

が あさってに なった。The English test, scheduled for tomorrow, was postponed until the day after tomorrow.

3 ［Aか どうか］ A＝動詞／い形容詞／な形容詞［〜］／名詞［〜］・普通形　意味 Aか Aでは ないか either A, or not A　例 トムさんが 来るか どうか 知って いますか。Do you know if Tom will come or not?／この 果物は 手で たたくと、甘いか どうかが わかります。You could tell if this fruit is sweet or not by tapping with your hand.

4 ［Aと いう ことで］　意味 Aと いう 理由で because of the reason A　例 歌手が 病気に なったと いう ことで 今日の コンサートは 来週に なった。Today's concert was postponed to the next week because the singer has fallen ill.

第2回

正解 6 2 7 3 8 4 9 1 10 2

文章の意味

Notice for Cherry Blossom Viewing: It has become warmer and the cherry blossoms will soon be blooming. We are going to have a cherry blossom viewing again this year. Let's eat, drink and play games, enjoying cherry blossoms. Last year we got caught in the rain halfway through, but there were people appreciating cherry blossoms even in the rain. Please gather together at the gate of Yamashita Park by 10:00 a.m. on March 30th.

6

ポイント

「（　）暖かく なって きました」：暖かく なって いる。→ is changing ⇒「だんだん 暖かく なって きました」

◇［だんだん］　意味 (change) little by little　例 だんだん 日本語が 話せる ように なりました。I've learned to be able to speak Japanese little by little.

選択肢のことば

1 ［なかなか A（ない）］　意味 Aしない　＊the event waiting for does not happen　例 なかなか 日本語が 話せる ように ならない。I'm having a hard time learning how to speak Japanese.／バスが なかなか 来ない。A bus is a long time coming.

3 ［ほとんど A］　意味 全部に 近い 程度に A being almost A　例 A「掃除、手伝いましょうか」－B「もう ほとんど 終わりました。だいじょうぶです」 "Can I help you with cleaning?" "I'm okay. It's almost done."

4 ［全然 A（ない）］　意味 absolutely, totally　例 この 映画は 全然 おもしろくない。This movie is absolutely a flop.／病気が 全然 よく ならない。I'm hardly getting better from my illness.

7

ポイント

「もうすぐ さくらの 花が（　）」：これから さくらの 花が 「〜する」→さくらの 花は まだ 「〜して いない」。これから 「〜する」⇒「咲きそうです」

◇［Aそう］ ☞ See 文の文法2【2】

選択肢のことば

1「咲いて います」：もう さくらは 咲いた cherry blossoms have already been blooming：文章の 意味（「これから さくらが 咲く」）に 合わない。

2「咲いた だろうと 思います」：ほかの 場所の さくらが 「咲いた だろう」と 思って いる。think cherry blossoms at other places have already been in bloom →さくらは 咲いた：文章の 意味（「これから さくらが 咲く」）に 合わない。

4「咲いた ようです」＝「咲いた」と 思う think (they) have bloomed：文章の 意味（「これから さくらが 咲く」）に 合わない。

8

ポイント

「今年も 山下公園で お花見の 会を（　）」「3月30日 10時に 山下公園の 門の 前に 来て ください」：今年も お花見の 会を する。時間と 場所も 決まった。We hold a cherry blossom viewing again this year. The time and place has been fixed as well. ⇒「する ことに なりました」

◇［Aことに なる］ ☞ See 文の文法2【13】

選択肢のことば

1 ［Aて おく］ A＝動詞・て形　意味 do A thinking of the consequences　例 雨が 降ると 困りますから、かさを かばんに 入れて おきましょう。You'd be troubled if it rains, so I will put an umbrella in your bag.／明日 友だちが 来ますから、今日 部屋を 掃除して おきます。I will clean up my room today because my

N4解答

friends are coming tomorrow.
2 ［Aように する］ ☞ See 文の文法2【6】
3 ［Aらしい］ ☞ See 文の文法2【12】

9
ポイント
「（　）できる、楽しい ゲームも やりましょう」：みんなに ゲームを しようと 言っている。telling people to play games →みんなが ゲームを する⇒「だれでも できる」

◇［だれでも］＝どの 人も、みんな　例 だれでも ほめられたら うれしいと 思うだろう。Anyone would feel happy to get a compliment.／簡単な 仕事ですから だれでも できます。This work is easy enough for anyone to do.

ほかに、「いつでも」「どこでも」「何でも」「どれでも」「どうでも」

選択肢のことば
2、4 ［だれも Aない］［何も Aない］　意味 A（する）人／物が ない there's no person/thing to do A　例 この 部屋には もう だれも いない。There's no longer anyone in this room.／今朝から 何も 食べていない。I haven't eaten anything since this morning.
3 「何でも できる ゲーム」：意味が 合わない。

10
ポイント
「途中で 雨が（　）が、帰らないで 雨の 中で お花見を 楽しんで いる 人も たくさん いました」：途中で 雨が「〜」。その後、雨の 中で お花見を 楽しむ 人が いた。→始めは 雨は 降って いなかった。途中で 雨が 降り始めた。It wasn't raining in the beginning. It started raining along the way. ⇒「雨が 降り出しました」

◇［A出す］ A＝動詞・ます形　意味 Aし始める begin to do A　例 犬を 見て 子どもが 泣き出した。The child started crying at seeing a dog.

選択肢のことば
1 ［A続ける］ A＝動詞・ます形　意味 ずっと A（する）keep doing A　例 雨が 1週間 降り続いて います。It has been raining for a week.
3 ［A終わる］ A＝動詞・ます形　意味 Aしなくなる、A（する）が 終わる stop doing A, doing A is ended　例 朝9時に レポートを 書き始めて、夜11時に 書き終わった。I began writing a report at nine in the morning, and finished at eleven at night.
4 ［Aすぎる］ ☞ See 文の文法1【41】

第3回

正解 11 2　12 1　13 3　14 4　15 1

文章の意味
This is made for the hearing-impaired. Wearing it in the ears, one can hear the sound well. It shapes like an earring and can be worn for many hours. It's also waterproof, so one wouldn't have to take it off when having a shower.

11
ポイント
「テレビの 音が（　）困っている 方」：「困っている」→「テレビの 音が（　）」は、よくない こと→「聞こえにくくて」か「聞こえすぎて」
「これを 耳につければ、テレビの 音も、遠くで 話している 人の 声も よく 聞こえます」→これを 使うと よく 聞こえる ように なる→今は よく 聞こえない⇒「聞こえにくくて」

◇［Aにくい］ A＝動詞・ます形　意味 Aするのが 大変だ／難しい doing A is troublesome/difficult　例 この ボールペンは 細くて 書きにくい。This ballpoint pen is too thin to write with.

選択肢のことば
1 ［Aやすい］ ☞ See 文の文法1【28】
3 ［A始める］ A＝動詞・ます形　意味 start doing A　例 朝 5時に 歩き始めて、山の 上に 着いたのは 11時ごろでした。We started walking at five in the morning and reached the top of the mountain at around eleven.
4 ［Aすぎる］ ☞ See 文の文法1【41】

12
ポイント
「これは、そんな 方の ために（　）」：「これ」は、よく 聞こえなくて 困っている 人の ための もの→「これは、（わたし／わたしの 会社が）作りました」か、「これは、作られました」か。
「みなさんに わたしが 見つけた 便利な ものを 紹介します」：この 商品は 今まで 知らなかった。

'Watashi' didn't know of this product until now. →「わたし」は作った人ではない。'Watashi' is not the person who made it. →「作りました」「作れました」「作らせました」は合わない。→「これは、作られました」⇒「作られました」

◇[Aれる] ＊動詞受け身形 ☞ See 文の文法1【6】

[BはCによってAれる] ＊A：verb to express invention, discovery or creation, B：things, C：person/institution　意味 CがBをAする　例 電話はベルによって発明されました。Telephone was invented by Bell. ／この絵はピカソによってかかれました。This painting was painted by Picasso.

[Bは（Cに／によって）Aれる] ＊A：verb, B：things, C：people/institution　意味 （Cが）BをAする　例 この車は日本で作られています。This car is made in Japan. ／英語はいろいろな国で話されています。English is spoken in many countires. ／この建物は500年前に建てられました。This building was built 500 years ago.

選択肢のことば

2、3、4：「（わたしが）作る」／「（わたしが）作れる」／「（わたしが ほかの 人に）作らせる」→文章の意味に合わない。

3 [A（られ）る] 動詞可能形 ☞ See 文の文法1【36】

4 [A（さ）せる] 動詞使役形 ☞ See 文の文法1【21】

13

ポイント

「（　）形で、小さくて軽いので」：これは、耳につけるもので、「小さくて軽い」もので、形が（　）。→耳につけるもので小さいもの something small and wears in the ears → イヤリング earring → 形がイヤリングに似ている the shape like an earring ⇒「イヤリングのような形」

◇[AようなB] ☞ See 文の文法2【8】

「イヤリングのような形」＝イヤリングに似ている形

選択肢のことば

1 [AらしいB] 意味 Aに合うようなB 例 会社に入ったら会社員らしい服を着なければならない。When you join a company, you must dress like a company employee. ＊also use for the conjecture/guess [Aらしい] ☞ See 文の文法2【12】

2 [Aそう] A＝動詞・ます、い形容詞[〜い]、な形容詞[〜] ＊「名詞＋そう」はない。☞ See 文の文法2【2】

3 [Aほど] A＝動詞・辞書形、名詞、数詞　意味 Aぐらい／Aの程度に about the degree of A/ the degree of A 例 会社へ行くのに1時間ほどかかります。It takes about an hour to get to work. ／地震でサッカーボールほど大きい石が落ちてきた。A rock as big as a soccer ball fell down in the earthquake.

[Aほど〜ない] ☞ See 文の文法1【13】

14

ポイント

「長い時間つけていても気になりません。（　）ぬれてもだいじょうぶです」：長い時間つけられるし、ぬれてもだいじょうぶだ。⇒「それに」

◇[A。それに、B] A／B＝文　意味 Aに加えてB B in addition to A 例 このパンはおいしい。それに安い。This bread is tasty. Furthermore, it's inexpensive.

選択肢のことば

1 [A。それで B] A／B＝文　意味 AだからB because of A, it's B 例 明日試験があります。それで、今日は勉強します。I'm having a test tomorrow. So, I'm going to study today.

2 [A。それでも B] A／B＝文　意味 A、しかしB A, but B 例 雨が降っている。それでも子どもたちは外で遊んでいる。It is raining. But the children are playing outdoors.

3 [それほど]＝それぐらい as 〜 as that 例 わたしは休みの日も研究室に行きました。それほどこの研究がおもしろかったのです。I worked in the laboratory even on holidays. This research for me was as exciting as that.

15

ポイント

「ぬれてもだいじょうぶです。つけたままシャワーを（　）」：ぬれてもだいじょうぶだ→つけたままシャワーを浴びてもいい it's okay to take a shower leaving (it) on ⇒「浴びてもかまいません」

◇[Aても／Aでも かまわない] A＝動詞／い形容

N4 解答

詞／な形容詞・て形，名詞［〜で］ 意味 A してもいい，A でも いい 例 この 部屋は 靴を 脱がなくても かまいません。You need not take off your shoes in this room.／黒い ボールペンで 書いて ください。黒が なければ、青でも かまいません。Please use a black ballpoint pen. A blue will do if you don't have a black one.

選択肢のことば

2 ［A なくては いけません］ A ＝ 動詞・ない形［〜ない］、い形容詞［〜く］、な形容詞［〜で］、名詞［〜で］ 意味 it's necessary to do A, need to have/do A 例 この 本は 図書館の 本ですから 返さなくては いけません。This book is borrowed from the library, so you have to return it.

3 ［A なければ なりません］ A ＝ 動詞・ない形［〜ない］、い形容詞［〜く］、な形容詞［〜で］、名詞［〜で］ 意味 it's necessary to do A, need to have/do A 例 明日は 試験だから、今日は 勉強しなければ なりません。I'm having a test tomorrow, so I have to study today.

4 ［A ては いけません］ A ＝ 動詞／い形容詞／な形容詞・て形、名詞［〜で］ 意味 A は だめだ don't do A 例 この 部屋に 入っては いけません。Don't go into this room.

第4回

正解 16 1   17 3   18 2   19 4   20 2

文章の大意

〈Mail sent to Mari〉

I'm going to Kyoto now. I've been interested in visiting Kyoto since I saw the pictures my professor showed me. In Kyoto I would like to see the old wooden buildings. As I haven't seen you for a while, I'm looking forward to seeing you, Mari. I'll mail you again when I get to Kyoto Station.

16

ポイント

「これから 新幹線で 京都へ（　　）」：これから 新幹線に 乗って 京都へ 行く→今は まだ 新幹線に 乗って いない。これから 新幹線に 乗る ところだ。I am not yet on board the Shinkansen. I am about to get on the Shinkansen now.⇒「京都へ 行く ところです」

◇［A ところだ］ ☞ See 文の文法1【44】

選択肢のことば

2 「行った ところだ」：「京都へ 着いた」という 意味。means "just arrived in Kyoto" →「これから 京都へ 行く」という 文章の 意味と 合わない。doesn't fit the meaning of the sentence "I'm going to Kyoto now"

3 「行って いる ところだ」：［A て いる ところ］ is the present situation →「これから」には 合わない。does not match the phrase "korekara (from now)"

4 「行って きた ところだ」：「行って きた」は「京都へ 行って、戻った」という 意味 "Itte-kita" means "went to Kyoto and came back." →文章の 意味と 合わない。

17

ポイント

「大学の 先生が 京都の 写真を（　　）。とても きれいな 町だと 思いました」：先生が わたしに 写真を 見せた。→わたしが 写真を 見た。⇒「見せて くださいました」

◇［A て くださる］ A ＝ 動詞・て形 ＊「くださる」：「くれる」の 尊敬語〔honorific〕 ☞ See 文の文法1【29】 意味 a superior does A for me/give me A 例 先生が 手紙の 書き方を 教えて くださいました。Teacher taught me how to write a letter.／これは 先生が とって くださった 写真です。These are the pictures taken by the teacher.

選択肢のことば

1 「見て くださいました」：わたしが 先生に「写真を 見て ください」と 言った。先生が 写真を 見た。I said to the teacher, "Please take a look at these pictures." The teacher looked at those pictures.

2 「見て いただきました」：わたしが 先生に「写真を 見て ください」と 言った。先生が 写真を 見た。I said to the teacher, "Please take a look at these pictures." The teacher looked at those pictures.

4 「見せて さしあげました」：わたしが 先生に 写真を 見せた。先生が 写真を 見た。I showed the pictures to the teacher. The teacher looked at them.

18

ポイント
「京都には 木の 建物が たくさん あって、1000年 以上も 前に 建てられた ものも ある そうですね。わたしは（　）古い 木の 建物は…」：京都には 1000年 以上も 前に 建てられた 木の 建物が ある →「1000年 以上も 前に 建てられた」＝とても 古い ⇒「そんな 古い 木の 建物」
◇[そんな] ☞ See 文の文法1【9】

選択肢のことば
1 [こんな] 例（A、Bは 建物を 見て いる）「こんな 古い 建物は 見た ことが ありません」 I've never seen the building as old as this.
3 [どんな] 例（Bが 京都へ 行く）A「京都へ 行ったら 見て ほしい 建物が あります」－B「どんな 建物ですか」 "When you are in Kyoto, there is a building I would like you to see." "What's the building like?"
4 [あんな] 例（Bは 京都から 帰って きた）A「わたしが 紹介した 建物は 見ましたか」－B「はい。あんな 古い 木の 建物を 見たのは 初めてです」 "Did you see the building I recommended you to see?" "Yes. I've never before seen the wooden building as old as that."

19

ポイント
「古い 木の 建物は 見た（　）ので、ぜひ 見て みたいと 思って います」：古い 木の 建物を 見て みたい。→まだ 見て いない。not yet to see ⇒「見た ことが ない」
◇[Aた ことが ある／ない] ☞ See 文の文法2【1】
[Aた ことが ある]

選択肢のことば
1「（見た）ばかりな（ので）」：少し 前に 見た saw a little while ago →文章の 意味（「まだ 見て いない」）に 合わない。
◇[Aた ばかりだ] A＝動詞・た形　意味 少し 前に A（した）、Aしてから 時間が たって いない did A a little while ago, not much time has passed since (one) did A　例 今 ごはんを 食べた ばかりなので、おなかが いっぱいだ。 I've just eaten, so I'm still full. ／日本語の 勉強を 始めた ばかりなので、まだ 日本語が わかりません。 I've just started learning Japanese, so I don't yet understand it well.
2「（見た）らしい」：確かでは ないが（見た）と 思う not sure, but think (having seen) it ☞ See 文の文法2【12】→文章の 意味（「まだ 見て いない」）に 合わない。
3「ものに なる」 例 新しい 技術で、ごみが 使える ものに なります。 With the new technology trash can turn into something usable.

20

ポイント
「ひさしぶりに（　）楽しみにしています」：楽しいと 思って 待って いる ことは 「まりさんと 会う こと」→[Aを 楽しみに する] ⇒「会うのを 楽しみに しています」
◇[Aを 楽しみに する]　意味 楽しいだろうと 思って Aを 待つ wait for A in expectaion　例 来週の パーティーを 楽しみに して います。 I'm looking forward to the party next week.
◇[Aのを] A＝文　意味 Aことを　＊ this "no" nominalizes verbs and adjectives　例 白い 鳥が 飛んで いるのを 見た。 I saw a white bird flying.

選択肢のことば
1「会うのが」→「会うのが 楽しみです」
◇[Aが 楽しみだ] 意味 Aが 楽しいだろうと 思って 待って いる wait for A thinking it would be fun　例 来週の パーティーが 楽しみです。 I'm looking forward to the party next week.
◇[Aのが] A＝動詞／い形容詞／な形容詞［～な］・普通形　意味 Aことが　＊ this "no" nominalizes verbs and adjectives　例 わたしは 一人で 旅行をするのが 好きです。 I like traveling by myself. ／あそこで 歌を 歌って いるのが 山田さんで、踊って いるのが 田中さんです。 The one singing a song over there is Mr. Yamada, and the one dancing is Mr. Tanaka.
3 [Aまでに] ☞ See 文の文法1【17】
4 [Aたら B] A＝動詞・た形　意味 Aした 後で B　例 仕事が 終わったら、ビールを 飲みに 行きませんか。＝仕事の 後で ビールを 飲みに 行きませんか。 How about a beer after work? ／東京に 着いたら 電話します。 I will call you after arriving in Tokyo.：東京に 着いた 後、電話する。☞ See 文の文法2【18】

読解 【Reading】

内容理解 短文 Comprehension (Short passages)

第1回

1番 【1】正解1

ことば
「メモ」memo
「おみやげ」souvenir
「めしあがる」＝食べる／飲む〔尊敬語 honorific〕
「ワイン」wine
「メール」email

ポイント
「お好きかどうか、お返事はメールでお願いします」＝「(洋子さんの ご主人が) ワインが 好きか、好きではないか、メールで知らせてください」

選択肢について
2「お返事はメールでお願いします。友子」：メールを待つのは友子さんで、洋子さんではない。
3「旅行で買ってきたワイン」：ワインは友子さんがもう買った。
4「もし、ワインがお好きなら……持ってきます」⇒（ご主人が）ワインが好きならワインをあげるが、好きでなければあげない。

2番 【2】正解3

ことば
「昼前」before noon
「雲」cloud
「急ぐ」to hurry (up)
「急に」suddenly
「月」moon
「星」star

ポイント
この日の天気：朝、いい天気だった→昼前、曇った→午後、強い風が吹いた→夜、晴れた ⇒ 天気がすぐに変わった＝変わりやすい天気だった。

⚠ ◇「少ししか降らなかった」＝少しだけ降った
「Aしか〜ない」＝「Aだけ〜」 例 朝はいつも忙しいので、野菜ジュースしか飲みません。
◇「明るい月が出ていて、星もたくさん見える」⇒晴れている。
◇「変わりやすい」＝すぐに変わる／よく変わる
「Aやすい」＝すぐに／よく Aする 例 わたしはかぜをひきやすい。毎年、冬に4、5回もかぜをひく。／細くて長い花びんは倒れやすいので、使いません。

選択肢について
1「昼前に黒い雲が出てきた」「雨は少ししか降らなかった」＝曇りから雨になった。
2「雨は少ししか降らなかった」＝雨が少し降った。
4「昼前に黒い雲が出てきた」＝昼前から天気が悪くなった。

3番 【3】正解4

ことば
「計画」plan
「(計画を) 立てる」to make (a plan)
「空気」air
「泊まる」to stay
「(魚を) つる」to fish
「楽しみにする」to be looking forward to

ポイント
「わたしの町へ遊びに来ませんか」「わたしの家は古くて、りっぱではありませんが、広いです。どうぞ何日でも泊まってください」＝「わたしの町に来て、わたしの家に泊まってください」⇒自分の家に招待したいと言っている。

選択肢について
1 町を紹介することより、家に招待することのほうが、この手紙の大事な目的。For the purpose of this letter, it is more important to invite Mario to his home than to introduce his town.
2「旅行をする」とは書いてない。
3 マリオさんが本田さんの町に来ることが決まった場合には、後で地図を送る。この手紙には地図は入れない。If it is decided that Mario will come visit Mr. Honda's town, he will send him a map. He

50

does not enclose a map in this letter.

4番 【4】正解 4

ことば
「おもちゃ」toy
「直す」to fix
「こわれる」to break
「大事にする」to take good care of
「優しい」kind

ポイント
◇「田村さんは『おもちゃ病院』で働いています」「『おもちゃ病院』はおもちゃを直すところです」→田村さんはおもちゃを直すところで働いている。
◇「田村さんはおもちゃを直すとき、……」→田村さんはおもちゃを直す人

⚠ ◇「子どもたちにお医者さんのように話します」→田村さんは医者ではない。
◇「君たちはこのおもちゃのお父さん、お母さんだよ」＝子どもたちとおもちゃの関係は、親と子どもの関係と同じだ。The relationship between children and toys is the same as that of parents and children.

第2回

5番 【5】正解 1

ことば
「美術館」art museum
「タクシー(の)乗り場」taxi stand
「利用する」to make use of
「直す」to fix
「間」while
「しばらく」「しばらくの間」for a while
「よろしくお願いします」Thank you. / Thank you very much in advance for your cooperation.
「変わる」to change

ポイント
◇「来月1日から31日まで、さくら美術館の入り口のドアを直します」＝来月1か月美術館の入り口のドアを直す。
◇「その間、タクシー乗り場は美術館の入り口から100メートル南になります」：ドアを直す間

(＝来月1か月間)タクシーの乗り場が変わる。

⚠ 「タクシー乗り場は美術館の入り口から100メートル南になります」＝タクシーの乗り場は今美術館の入り口にあるが、ドアを直す間は、タクシー乗り場を美術館の入り口から100メートル南に移動する。Currently a taxi stand is located at the museum entrance. While the door is being repaired, however, it will be moved to 100 meters south of the entrance.

選択肢について
2 乗り場が変わるのは来月から1か月間だけ。来月からずっとではない。
3 乗り場はなくならない。
4 入り口のドアを直す。入り口の場所は変わらない。

6番 【6】正解 2

ことば
「具合」condition
「熱」fever
「下がる」to go down
「授業」class
「今度」this time, next time
「授業に出る」to attend (class)
「メール」email
「日本文学」Japanese literature
「レポート」report
「テーマ」theme, topic
「説明する」to explain

ポイント
◇「今日の山田先生の授業のノートを今度会ったときに貸します」：中村さんはアンナさんにノートを貸す。→アンナさんは中村さんにノートを借りる。
◇「レポートのテーマは、会ったときに説明します」：中村さんはアンナさんにレポートの説明をする。→アンナさんはレポートの説明を聞く。

⚠ ◇「体の具合はどうですか」→アンナさんは病気だ。
◇「熱は下がりましたか」→アンナさんは熱があった。
◇「今日の山田先生の授業のノートを今度会っ

たときに 貸します」→アンナさんは 山田先生の 授業に 出なかった。
◇「明日 授業に 出られるなら、メールを ください。ノートを 持って 行きます」：明日の 授業に 出るか どうか 連絡が ほしい。アンナさんが 授業に 出る 場合は、今日の 山田先生の 授業の ノートを 持って 行って、アンナさんに 貸して あげるつもりだ。(Mr. Nakamura) wants to know if Anna would attend the class tomorrow. If she does, he is going to bring the notes of today's Mr. Yamada's class and lend them to her.

7番 【7】正解 2

ことば
「海岸」beach
「聞こえる」to hear
「笑う」to laugh
「さびしい」lonely
「考え」thought, view
「変わる」to change

ポイント
「夏の 海岸は 人が 多い ほうが いいと 思うように なりました」＝夏は 海岸に 人が おおぜい いる ほうが いい。→おおぜい 人が いて、人の 声や 音楽が 聞こえるのが いい。⇒にぎやかなのが いい。

⚠
◇「この 海岸には、毎年 夏に なると おおぜいの 人が 来ます。海岸で 遊んで いる 人の 声や 音楽が わたしの 家まで 聞こえて きます」：毎年 夏に なると 人が おおぜい 来て、その 人たちの 声や 音楽などの 音が する。
◇「わたしは 夏の 海岸は うるさくて 困ると 思っていました」⇒人が おおぜい 来て、うるさいのは よくない。
◇「海岸は 人が 少なくて、静かです。楽しそうに 笑ったり、遊んだり して いる 人も いません」：(今年の 夏は)海岸は 人が 少ない。静かだ。笑ったり、遊んで いる 人が いない。
◇「こんな さびしい 海岸」：楽しそうに 笑ったり、遊んだり して いる 人が いない 海岸は さびしい。⇒人が 少なくて、静かな 海岸は さびしい。
◇「夏の 海岸らしく ありません」：夏の 海岸の 感じが しない。いつもの 夏は、海岸に 人が 多くて、にぎやかなのに、今年は、人が 少なくて、静かだから、夏の 感じが しない。It does not feel like a summer beach. In usual summer the beach is busy with many people, but this summer it is quiet with less people, which does not give the feeling of summer.

選択肢について
1「海岸は 人が 少なくて、静かです。楽しそうに 笑ったり、遊んだり して いる 人も いません。こんな さびしい 海岸は 夏の 海岸らしく ありません」：静かな 海岸は さびしくて、夏の 海岸らしく ないと 思って いる。→静かな 海岸は よくない。
3 前は うるさくて 困ると 思って いたが、今は 考えが 変わった。今は「困る」と 思って いない。
4「楽しそうに 笑ったり、遊んだり して いる 人も いません。こんな さびしい 海岸は 夏の 海岸らしく ありません」→遊んで いる 人が いた ほうが いいと 思って いる。

8番 【8】正解 1

ことば
「倒れる」to fall
「ひどい」terrible
「けが」injury
「やめる」to stop
「息子」son
「サイクリング」cycling
「間違い」mistake, failure
「昔」old times
「楽しむ」to enjoy

ポイント
「『自転車には 乗れないよ。長い 間 乗って いないから。』と 答えた……昔と 同じように 乗れたからだ」→問題なく 乗る ことが できた。だから、答えた こと（「自転車には 乗れないよ」）は 間違っていた。He could ride a bicycle without any problem. So, his answer (that he could not ride a bicycle) was untrue.

内容理解 中文
Comprehension (Mid-size passages)

第1回

正解【1】3 【2】4 【3】1 【4】2

ことば

「最近」lately, recently
「注意する」to be careful
「増える」to increase
「考える」to think
「奥さま」madam, ma'am 〔a polite expression to call someone's wife〕
「よろしい」＝いい
「これから」from now on
「ずっと」for a long time
「ていねい(な)」polite, careful
「紹介する」to introduce
「説明」explanation
「値段」price
「品物」thing
「おたく」(your) house〔Honorific; cannot be used to refer to speaker's own house〕
「届く」to be received
「別れる」to part, to split up, to separate
「送る」to send
「留守」absence
「連絡する」to contact
「(お金を)取られる」to be swindled (money)
「怒る」to get angry

ポイント

① この 文章の トピック：町で、歩いて いる 人に 声を かけて 物を 買わせる 商売が 増えて いる。お金を だまし取る、つまり、お金を 払ったのに 品物が 来ない 場合も ある。Main Subject of this Text: There is an increasing number of business that people are made to purchase goods by being solicited on the street in town. Swindling money includes a case where no goods are delivered though a payment was made.

② ほんとうに あった こと：この 文章を 書いた 人の お母さんは 体に いいと いう お茶を 買おうと 思って、お金を 送った。しかし、お金を 送ったのに、お茶は 来なかった。A True Story: Mother of this writer sent money to buy tea said to be good for health. She sent her money in, but no tea was delivered.

🔑【1】
「『ケンコー茶』と いう お茶を 紹介しました」

🔑【2】
「これからも ずっと 元気で いる ために、毎日 これを お飲みに なると よろしいですよ」＝この お茶を 毎日 飲めば、ずっと 元気で いる ことが できる。→この お茶は 体に いい。

🔑【3】
「その お茶は…………ほんとうに 体に よさそうだと 思いました。それで、お茶を 買う ことに しました」：体に よさそうだと 思った。→(お茶を 買う ことに 決めた。)→お金を 払った。

🔑【4】
「『品物は、今週中に おたくに 届きます。』……10日 待っても 品物が 来ないので、その お茶の 会社に 電話を かけました。しかし、いつも 留守で、連絡できません」：お金を 払ったから、今週中に 品物(お茶)が 来ると 思ったのに、10日 待っても 来ない。連絡も できない。She paid the money, so she thought the goods (tea) would come by this week. She waited for ten days, but it did not come. She could not contact the sales person either.

⚠️
◇「ちょっと よろしいですか」：話しかける とき、会話を 始める ときに 初めに 言う 表現。「ちょっと いい？」の ていねいな 言い方。When you speak to someone or initiate conversation, you begin with this phrase. Polite expression of "Chotto ii (You got a minute)?"

◇「よさそうだ」＝「いい」＋「そうだ〔appearance〕」
例 熱が あるから、仕事を 休んだ ほうが よさそうだ。

選択肢について

【1】男の 人が した こと
1 ×「説明を 聞きました」○説明を した
2 ×「送りました」○送らなかった
4 ×「飲ませた」＊これは 書いてない こと

【2】どんな お茶だと 言ったか。
1 ×「病気が 治る」＝(お茶が)病気を 治す
　○ずっと 元気で いる ことが できるけれど、薬では ない。

N4解答

2 ×「おいしい」＊これは 書いてない こと
3 ×「安い」＊これは 書いてない こと

【3】お金を 送った 理由
2 ×「安いと 思った」○「安くないけれど」と お母さんは 思った。
3 ×「元気そうだった」＊これは 書いてない こと
4 「男の人の 言い方が ていねいだった」ことは、お金を 送った（＝買う ことに 決めた）直接の 理由では ない。The man's polite way of speaking is not the direct reason for sending money (deciding to purchase).

【4】怒っている 理由
1 ×「とても 高かった」○「安く ない」と 思った→高いけれど、とても 高い 値段では ない。
3 ×「品物が 来るのに 10日も かかった」＝品物は 10日後に 来た。○品物は 来なかった。
4 会社の 人が お母さんに 電話を するという 約束は なかった。There was no promise that the company would call her mother.

第2回

正解【5】2 【6】4 【7】1 【8】3

ことば
「趣味」hobby
「特に」especially, particularly
「アメリカ」America
「ヨーロッパ」Europe
「卒業」graduation
「休みを とる」to take a vacation/holiday
「やはり」＝同じ ように
「経験」experience
「珍しい」rare, unusual
「アクセント」accent
「自然」nature
「文化」culture
「ずいぶん」great deal
「(AよりBのほうが) ずっと (〜だ)」(B is) far more 〜 (than A)
「必要(な)」necessary

ポイント
①学生の ときの 旅行：外国旅行を したかったけれど お金が なかった。だから、一度 アメリカへ 行っただけ だった。
②会社に 入ってからの 旅行：長い 旅行を する 時間が ない。だから 国内の 旅行を した。
③国内の 旅行を して わかった こと：自分の 国の 中に 知らない 所が ある。だから、これからは 自分の 国を 知る ための 国内旅行を したい。

【5】
「卒業の 前に アメリカへ 行った。でも、外国旅行は そのときだけだった」：外国旅行は 一度だけだった。

【6】
「会社で 働き始めてからは、お金の 問題より 時間の 問題の ほうが 大きく なった。長い 休みは とれないから、外国旅行は 今も やはり 難しい」→問題は 長い 休みが とれない ことだ。

【7】
「わたしは これから、自分の 国を 知る ための 旅行を しようと 思っている」→自分の 国の 中の まだ 知らない 所へ 行こうと 思っている。

【8】
「時間と お金を たくさん 使って 外国へ 行く 前に、まず 自分の 国を よく 知りたい」→外国へ 行かないで、自分の 国を 旅行したい。

選択肢について

【5】学生の 時の 旅行
1 ×「何回も」○1回だけ
3 ×「国内の 知らない 所に だけ」○外国（アメリカ）にも 行った。
4 ×「ヨーロッパに」○アメリカにだけ 行った。

【6】今の 問題
1 ×「仕事が 忙しい」＊これは 書いてない こと
2 ×「お金」○時間の 問題が 大きい。
3 ×「会社で 働いて いる こと」＊これが 問題だと 言っていない。

【7】これからの 旅行
2、3 ×「外国旅行」○国内旅行を したい。
4 ×「お金を あまり 使わない…」○時間の 問題の ほうが 大きい。

【8】今の 考え
1、2、4は 書いてない こと。

第3回

正解 【9】2　【10】3　【11】1　【12】4

ことば

- 「歌手」 singer
- 「畑」 field, farm
- 「アルバイト」 part-time job
- 「事故」 accident
- 「亡くなる」 to pass away
- 「近所」 neighborhood
- 「普通」 ordinary
- 「土」 soil
- 「建つ」 to be built
- 「形」 shape
- 「喜ぶ」 to be glad
- 「思い出す」 to remember
- 「始める」 to begin/start
- 「人気がある」 popular

ポイント

① 川上さん：若いとき、歌手になりたかった。→野菜を作りたいと思っていなかった。→両親が亡くなったとき、畑を売ろうと思った。

② 近所の人：「両親が作ったいい土の畑だから、売らないでほしい」と川上さんに言った。

③ お父さんが言ったこと：「薬を使わないで作った野菜は形はよくない。でも、みんながおいしくて体にいいと喜んでくれる」→お父さんは、薬を使わないで作った野菜はみんなが喜ぶと言っていた。His father said people would appreciate the organic vegetables more.

④ 川上さん：おいしい野菜を作ることも人を喜ばせることだと思うようになった。He has come to think that producing the tasty vegetables would make people happy.→野菜を作り始めた。He began growing vegetables.

🔑【9】

「お父さんが『薬を使わないで作った野菜は形はよくない。でも、みんながおいしくて体にいいと喜んでくれる。』と言っていた」→お父さんは、薬を使わないで野菜を作っていた。お父さんが作った野菜は、<u>形はよくない</u>が、<u>おいしくて体によかった</u>。

🔑【10】

「川上さんは若いとき、歌手になりたいと思っていました。両親は広い畑で野菜を作っていましたが、川上さんは東京でアルバイトをしながら、歌の勉強をしていました」→川上さんは歌手になるために歌の勉強をしていた。野菜を作る仕事をしたいと思っていなかった。

🔑【11】

「ここにはあなたの両親が作ったいい土がある」＝この畑は川上さんの両親が作ったいい土の畑だ。
「ここを売ったら、家が建ってしまうだろう」→この畑を売ったら、きっと畑ではなくなるだろう。→いい土の畑がなくなるのは残念だ。⇒この畑を売らないでほしい。

🔑【12】

「川上さんは人を喜ばせる仕事をしたいと思っていましたが、おいしい野菜を作ることも人を喜ばせることだと思うようになりました」：川上さんは、おいしい野菜を作ることで人を喜ばせられると思うようになった。Mr. Kawakami has come to think that producing delicious vegetables can make people happy.

選択肢について

【9】両親はどんな野菜を作っていたか。

1、3　×「形がよくて」　〇形はよくない。
4　×「薬になる野菜」　〇薬を使わないで作った野菜

【10】畑を売ろうと思った理由

1　×「両親を思い出す」＊これは書いてないこと。
2　×「普通の畑ではない」から売ろうと思った。〇「売ろう」と思った後で、「普通の畑ではない」と聞いた。
4　×「東京で仕事をしていた」〇東京で歌の勉強をしていた。

【11】近所の人が言いたいこと

2　×「がんばったことを知ってほしい」〇両親ががんばって作ったいい土の畑を売らないでほしい。
3　×「近所に家を建てないでほしい」〇いい

土の 畑が、畑で なくなるのが 残念だ。＊川上さんは「家を 建てる」とは 言って いない。
4 ×「売って ほしい」 ○売らないで ほしい。

【12】川上さんが 歌手に なるのを やめて 野菜作りを 始めた 理由
1 ×「両親と 同じ 仕事を したい」 ○人を 喜ばせる 仕事を したい。
2 ×「楽だ」 ＊「野菜を 作る 仕事が 楽だ」とは 言って いない。
3 ×「安全な 野菜を 作る ことが 大切だと わかった」 ＊川上さんが わかった こと：「おいしくて 体に いい」野菜を 作ると みんなが 喜ぶ。

情報検索
Information retrieval

第1回

正解【1】4 【2】4

ことば
「文化」culture
「楽しむ」to enjoy
「着物」kimono (Japanese traditional robe)
「払う」to pay, to brush
「国際」international
「センター」center
　「国際センター」international center
「別の」another
「紹介する」to introduce
「景色」view
「村」village
「生活」life
「いただく」＝食べる
「茶道」Japanese tea ceremony
「（お）茶」tea ceremony, powdered green tea (Matcha)
「（お）茶を 入れる」to prepare/make powdered green tea
「都合」convenience
　「都合が いい」convenient
「選ぶ」to choose, to select
「メール」email
「申し込む」to apply
「一度」once

ポイント

【1】二人が 払う お金
◇「タンさんと ミンさんは 前田市の 隣の 町に 住んで います」：前田市に 住んで いないから、500円 高くなる。→二人で 1,000円 高く なる。
◇「二人は 着物を 着たいと 思って います」：200円 →二人で 400円 ⇒ 400円＋1,000円＝1,400円

【2】マリアさんが 会に 出られる 日
◇「毎週 午後 2時から 1時間、・・・英語を 教えて います」→14:00〜15:00は 出られない。→5月12日と 5月26日の 1回目は 出られない。
◇「同じ 国際センターの 別の 部屋で」→マリアさんが 英語を 教えて いるところは 会と 同

じ場所だから 移動の 時間は 短くて いい。The event site is the same as where Maria is teaching English, so the travel time is short. →その 前後の 会には 出られる。She can attend the events held before and after her class. →5月5日、5月19日、5月26日の 2回目は 出られる。

第2回

正解【3】2 【4】3

ことば

「ガス・メーター」 gas meter
「取り替え」 replacement
「マンション」 condominium, apartment
「コンビニ」 convenience store
「アルバイト」 part-time job
「日時」 the date and time
「予定」 schedule
「表」 table, list
「管理人」 caretaker
「～室」 room ～
「ポスト」 mailbox, postbox
「サービスセンター」 repair/service center
「預ける」 to entrust/leave ～ with …
「取り替える」 to replace
「都合」 convenience
「留守」 absence
「必ず」 certainly, without fail

ポイント

【3】ラマさんが 部屋に いる 日と 時間
◇「月曜日から 金曜日まで 毎日 大学へ 行きます。帰る 時間は 7時ごろです」→月曜日から 金曜日は ×。
◇「土曜日の 午前9時から 午後6時までと、日曜日の 午前中は マンションの 隣の コンビニで アルバイトを して います」→土曜日は ×、日曜日の 13:00～15:00 と 15:00～17:00 は ○。→○ 2つ。

【4】大山さんが この 後 する こと
◇「大山さんは 10月8日から 2週間 旅行に 行く 予定です」→大山さんは 都合の いい 日が ない。
◇「どの 日時も 都合の 悪い 方は、サービスセン

ターに お電話を ください」→大山さんは、サービスセンターに 電話を する。

第3回

正解【5】1 【6】4

ことば

「ボランティア」 volunteer
　「サマーボランティア」＝夏に する ボランティア
「市役所」 city office
「申し込む」 to apply
「小学生」 schoolchild
「経験」 experience
「申し込み」 application
「申込書」 application form
「必要(な)」 necessary
「FAX」 facsimile
「市民センター」 civic center
「保育園」 nursery school
「伝える」 to tell
「ケアセンター」 care center
「捨てる」 to throw, to dump
「かわいそう(な)」 poor, pitiful

ポイント

【5】ボランティアを したい 人が する こと
◇「申込書に 必要な ことを 書いて、FAXか 郵便で 送って ください」→申込書を 書く。
◇「申込書は 市民センター（市役所2階）に あります」→市役所の 2階に ある 市民センターで 申込書を もらう。
◇「電話での 申し込みは できません」→電話は しない。

【6】息子と 一緒に 行ける 日
◇「息子は 7月31日まで 水泳教室に 通うので、サマー・ボランティアに 行く ことは できません」→一緒に 行けるのは 8月2日～7日
◇「山下さんは 火曜日と 水曜日は 仕事が あるので 行く ことが できません」→8月4日、5日、6日、7日は 仕事が ない。
◇「②は 中学生以上の 方に お願いします」→8月4日、5日は 行く ことが できない。→8月6日、7日は 行く ことが できる。

読解

内容理解 短文　内容理解 中文　情報検索

57

聴解【Listening】

課題理解
Task-based comprehension

第1回

1ばん　正解 2

スクリプト
男の人と 女の人が 電話で 話しています。男の人は 何を 買いますか。

M：もしもし、今 米の 売り場に いるんだけど、何キロ 買えば いい？
F：あ、ごめんなさい。あのね、米も パンも、前に 買ったのが あったの。
M：なんだ。どっちも いらないんだね。
F：ええ。ごめんなさい。あ、牛乳、忘れないでね。
M：それと 卵でしょ。
F：あ、そうだった。
M：ほかには？
F：あ、バターも お願い。あと 少ししか ないから。
M：はい、はい。

男の人は 何を 買いますか。

ポイント
① 「米も パンも、前に 買ったのが あったの」→ 米と パンは 買わない。
② 「牛乳、忘れないでね」→ 牛乳を 買う。
③ 「それと 卵でしょ」「あ、そうだった」→ 卵も 買う。
④ 「バターも お願い」→ バターも 買う。
⇒ 牛乳（ウ）と 卵（イ）と バター（ア）を 買う。

⚠️
◇「あ、そうだった」：忘れて いた ことを 思い出した ときに 言う 表現 expression used when one has remembered what (s)he had forgotten
◇「ほかには？」＝「ほかに まだ 何か ある？」

ことば
「米」rice
「売り場」counter/section (in a store)
「忘れる」to forget

2ばん　正解 2

スクリプト
男の人と 女の人が 話しています。男の人は 何時に 駅へ 行きますか。

F：明日の 映画、何時からだった？
M：1時だよ。でも、映画の 前に 食事しない？
F：あ、いいね。
M：じゃあ、駅で 12時に 会おう。駅ビルの 中に いい 店が あるから。
F：ねえ、ゆっくり 食事したいし、チケットを 買う 時間も 要るでしょう？ もう 少し 早く しない？
M：そうだね。チケットは 予約したから だいじょうぶだけど、ゆっくり 食事したいね。
F：映画の 始まる 10分ぐらい 前には 映画館に 着いた ほうが いいでしょ？
M：うん。
F：それに、駅から 映画館まで 歩いて 10分ぐらいは かかるし。ねえ、30分 早く しない？
M：わかった。そう しよう。

男の人は 何時に 駅へ 行きますか。

ポイント
① 「映画の 前に 食事しない？」「あ、いいね」→ 映画の 前に 食事を する。
② 「駅で 12時に 会おう」→ 男の人は 12時に 駅で 会う ことを 提案した。The man suggested they meet at the station at 12:00.
③ 「ねえ、30分 早く しない？」「わかった。そう しよう」→ 食事を する 時間などを 考えて、女の人は 12時より 30分 早く する ことを 提案した。男の人も 賛成した。The woman suggested they meet 30 minutes before 12:00 considering the time spent for having dinner and others, and the man agreed.
⇒ 11時 30分に 駅で 会う。

ことば
「駅ビル」station building
「チケット」ticket ＝ 映画や コンサートや イベントなどの 入場券 ticket for admission for movies, concerts, events, etc.

58

「予約する」to make a reservation

3ばん　正解4
スクリプト
女の人がお兄さんの引っ越しの準備を手伝っています。女の人はこの後何をしますか。

F：お兄ちゃん、コップと茶わんを箱に入れるの、終わったよ。
M：あ、ありがとう。台所が終わったら、ふろの掃除を頼む。
F：いいよ。でも、まだ なべとか ナイフとか、料理の道具が残ってるけど。
M：あ、それも箱に入れて。
F：わかった。でも、箱がもうあまりないよ。
M：そうか。箱をもう少し持ってきてもらったほうがいいな。
F：そうね。
M：じゃあ、先に、箱を持ってきてくれるように頼んでよ。電話番号は、これ。
F：わかった。

女の人はこの後何をしますか。

ポイント
① 「台所が終わったら、ふろの掃除を頼む」「でも、まだ なべとか ナイフとか、料理の道具が残ってるけど」→台所の片付けがまだ終わっていないから、**ふろの掃除はすぐにはしない。** The clean-up of the kitchen has not been finished, so the bath tub cleaning is not going to take place right away.
② 「わかった。でも、箱がもうあまりないよ」「そうか。箱をもう少し持ってきてもらったほうがいいな」→物を入れる箱が足りないので、箱が必要だ。There aren't enough boxes to put stuff in, so they need more boxes. →**箱を頼まなければならない。** They need to ask for more boxes.
③ 「先に、箱を持ってきてくれるように頼んでよ。電話番号は、これ」→箱を持ってきてもらうために、電話をしなければならない。
⇒**まず電話をする。**

⚠ ◇「残ってる」＝「残っている」

ことば
「なべ」pot

「道具」tool
「残る」to remain

4ばん　正解1
スクリプト
駅で男の人と女の人が話しています。女の人は何で行きますか。

F：あ、電車、止まってる。
M：風が強いからだって。これじゃ、いつ動くかわからないね。
F：え、どうしよう。
M：ぼくは会社が近いから歩くよ。君は、バスだね。
F：え、バス？ 時間かかるでしょう？
M：でも、歩くのは無理だよ。
F：じゃあ、タクシー。
M：タクシーはみんなが乗るから、きっと乗れないよ。
F：そうね。
M：時間がかかっても仕方ないよ。
F：わかった。そうするわ。

女の人は何で行きますか。

ポイント
① 「ぼくは会社が近いから歩くよ」→**男の人は歩く。**
② 「歩くのは無理だよ」→男の人は会社が近いから歩いて行けるが、女の人は歩いて行けない。→**歩かない。**
③ 「じゃあ、タクシー」「タクシーはみんなが乗るから、きっと乗れないよ」「そうね」→タクシーは乗れないだろう。→**タクシーには乗らない。**
④ 「え、バス？ 時間かかるでしょう？」「時間がかかっても仕方ないよ」「わかった。そうするわ」→バスは時間がかかる。しかし、歩くのは無理だし、タクシーにも乗れないので、バスしか方法がない。Riding a bus takes too much time, but it's impossible to walk or take a taxi, so there's no other choice than taking the bus.
⇒**バスで行く。**

⚠ ◇「風が強いからだって」＝「風が強いからだそ

うだ」because of the strong wind, I hear
◇「これじゃ」=「これでは」= この 状況では in this situation

ことば
「時間 かかる」=「時間が かかる」
「無理(な)」impossible
「きっと」maybe
「仕方ない／仕方がない」can't be helped, there's no other choice

5ばん　正解 3

スクリプト
会社で 男の人と 女の人が 話して います。男の人は 何人で 予約しますか。

M：小林さん、今度 みんなで 食事に 行く 店、ここは どうですか。
F：あ、イタリア料理ですか。いいですね。そこに しましょう。予約を お願いします。
M：はい。何人で 予約しましょうか。
F：そうですね。今は わたしたちを 入れて 10人ですけど、1月から 新しい 人が 2人 入りますから、その 人たちも 入れて ください。
M：はい。あのう、今 タイに いる 山田さんと 木村さんは どうでしょうか。
F：あ、そうでしたね。あの 2人も お正月に 日本に 帰って くれば、出られるかも しれませんね。じゃ、入れて おいて ください。
M：はい。入れて おきます。

男の人は 何人で 予約しますか。

ポイント
①「今は わたしたちを 入れて 10人ですけど、1月から 新しい 人が 2人 入りますから、その 人たちも 入れて ください」→ 10人＋2人＝12人
②「あの 2人（山田さんと 木村さん）も お正月に 日本に 帰って くれば、出られるかも しれませんね。じゃ、入れて おいて ください」⇒ 12人＋2人＝14人

⚠ ◇「あの 2人も……入れて おいて ください」= あの 2人（山田さんと 木村さん）の 返事を まだ 聞いて いないので、出席するか どうか わからないけれど、たぶん 出席できるだろうと 考

えて、予約する 人数に 加える。We don't know if those two (Yamada and Kimura) will attend or not because we haven't heard from them yet, but will include them anyway for the reservation assuming they will probably be able to attend.

ことば
「予約(する)」to make a reservation
「今度」soon
「タイ」Thailand
「(お)正月」New Year's

6ばん　正解 3

スクリプト
女の人と 男の人が 話して います。女の人は どの 人に 封筒を 渡しますか。

F：あの、これ、アベさんと いう 方に 渡したいんですが。アベさんは どの 方ですか。
M：あそこです。ドアの そば。
F：え？ あの、グラスを 持った 女性と 話して いる 人ですか。
M：いえいえ、ドアの 左側。長い スカートを はいて いる 女性と 話して います。あ、今 笑った。あの 人ですよ。

女の人は どの 人に 封筒を 渡しますか。

ポイント
①「アベさんは どの 方ですか」→女の人は アベさんを 探して いる。
②「ドアの そば」= アベさんは ドアの 近くに いる。⇒ 3か 4
③「え？ あの、グラスを 持った 女性と 話して いる 人ですか」「いえいえ、ドアの 左側」= グラスを 持った 女性と 話を して いる 人（4）では ない。アベさんは ドアの 左側に いる。
④「長い スカートを はいて いる 女性と 話して います。あ、今 笑った」= アベさんは、長い スカートを はいて いる 女性と 話して いて、笑って いる。Mr. Abe is talking to a woman wearing a long skirt, and is laughing.

ことば
「グラス」glass
「女性」woman
「笑う」to laugh

7ばん　正解4

スクリプト

男の人と女の人が話しています。男の人はどれを取りますか。

F：ねえ、それ、取って。
M：え、どれ？
F：それ。四角いの。
M：え、これ？
F：あ、それじゃなくて、四角くて細くて長い花びん。いただいたお花を入れたいの。
M：え、花びん？ 丸いのじゃないの？
F：ううん、四角いの。
M：わかった。これだね。

男の人はどれを取りますか。

ポイント

① 「それ。四角いの」→形が四角い→2（丸い）ではない。
② 「四角くて細くて長い花びん」→花を入れるもの→1（箱）、3（皿）ではない。
⇒4を取る。

ことば

「四角い」square

8ばん　正解1

スクリプト

会社で男の人と女の人が話しています。男の人はこの後どこへ行きますか。

F：あ、中村さん、この本を会議室に持っていってください。
M：はい、わかりました。その後で銀行へ行きますが、何か用事はありませんか。
F：すみません。この荷物を出してきてもらえませんか。
M：わかりました。郵便局ですね。
F：いいえ。郵便局よりコンビニのほうが近いでしょう？ コンビニがいいですよ。
M：そうですね。コンビニでも荷物、出せますね。
F：銀行の隣にコンビニがありますよ。
M：あ、わかりました。

男の人はこの後どこへ行きますか。

ポイント

①「この本を会議室に持っていってください」「はい、わかりました」→男の人はこれから会議室に行く。
②「その後で銀行へ行きますが」→会議室へ行った後で銀行に行く→先に会議室へ行く。
③「何か用事はありませんか」「この荷物を出してきてもらえませんか」→銀行に行くとき、荷物も送る。→荷物は、会議室に行った後で送る。→銀行もコンビニも、会議室に行った後に行く。

⚠ ◇「この荷物を出してきてもらえませんか」＝「この荷物を出してきてください」

ことば

「会議室」conference room
「用事」things to do, errand
「コンビニ（コンビニエンスストア）」convenience store

第2回

9ばん　正解4

スクリプト

女の人が駅員に聞いています。女の人は何で行きますか。

F：あのう、工業大学へ行きたいんですが。
M：工業大学は、2番線から乗って、三つ目の駅で降りてください。
F：駅から近いですか。
M：ちょっと歩かないとねえ。20分ぐらいかかりますよ。タクシーならすぐですけど。
F：バスはありませんか。
M：あ、バスなら、二つ目の駅の前から乗れば、大学の前まで行けます。時間はかかりますけど。
F：じゃ、そうします。歩かないで行けるから、楽ですね。

女の人は何で行きますか。

ポイント

①「(三つ目の駅で降りてから)ちょっと歩かないとねえ。20分ぐらいかかりますよ」→三つ目の駅から20分も歩かなければならない。

②「バスは ありませんか」→20分 歩くのは 大変だから、バスが あれば 乗りたい。
③「バスなら、二つ目の 駅の 前から 乗れば、大学の 前まで 行けます」＝電車に 乗って、次の次の 駅で 降りて、駅前で バスに 乗って、大学の 前まで 行く ことが できる。
④「じゃ、そうします。歩かないで 行けるから、楽ですね」→電車と バスで 行く。

◇「ちょっと 歩かないと ねえ」＝「かなり 歩かなければ なりません」＝歩く 距離が 長い long distance to walk

ことば
「〜番線」(at a train station) track No. 〜

10 ばん　正解 3

スクリプト
男の人が 郵便局に 来て います。男の人は この後 まず 何を しますか。

M：あのう、お金を 送りたいんですが、この 封筒に お金を 入れても いいですか。
F：あ、それは 普通の 封筒ですね。その 封筒に お金を 入れる ことは できません。お金を 送る 封筒は この 封筒なんですよ。1枚 20円です。
M：あ、そうですか。ええと、切手は いくらですか。
F：あ、切手は 要りません。この 封筒に 送る お金を 入れて、必要な ことを 書いてから、こちらで お金を 払って ください。
M：わかりました。

男の人は この後 まず 何を しますか。

ポイント
①「それは 普通の 封筒ですね。その 封筒に お金を 入れる ことは できません」→男の人が 持ってきた 封筒で お金を 送る ことは できない。
②「お金を 送る 封筒は この 封筒なんですよ。1枚 20円です」→お金を 入れる 封筒を 買わなければ ならない。
③「切手は 要りません。この 封筒に 送る お金を 入れて、必要な ことを 書いてから、こちらで お金を 払って ください」→封筒を 買って、その 封筒に 必要な こと（自分の 住所・氏名、宛先など）を 書く。それから この 窓口で 料金を 払う。切手は 必要ない。You buy an envelope, and fill out information (your name and address, recipient's name and address, etc). Then you pay the fee at this window. No stamp needed. ⇒まず、封筒を 買う。

ことば
「普通」regular
「必要(な)」necessary
「払う」to pay

11 ばん　正解 2

スクリプト
女の人が 話して います。花と 枝は どのように 入れますか。

F：はい、ここに ある 枝と 花を 花びんに 入れましょう。まず、この 2本の 枝ですが、長い ほうの 枝を 花びんの 後ろに 入れます。短い 枝は 長い 枝の 横に 入れて ください。それから、花ですね。大きい 花が 2本 あります。これを 真ん中に 入れますが、同じ 長さでは おもしろく ありません。1本は 少し 切って 長さを 変えましょう。最後に 小さい 花を 前の ほうに 入れます。後ろの 枝の 下にも、小さい 花を 少し 入れて みましょう。ね、きれいでしょう？

花と 枝は どのように 入れますか。

ポイント
①花びんに 入れる もの＝長い 枝、短い 枝、大きい 花 2本、小さい 花 数本
②「長い ほうの 枝を 花びんの 後ろに 入れます。短い 枝は 長い 枝の 横に 入れて ください」→長い 枝を 後ろに 入れて、その 横に 短い 枝を 入れる。⇒4では ない。
③「大きい 花が 2本 あります。これを 真ん中に 入れます」→大きい 花を 真ん中に 入れる。
④「同じ 長さでは おもしろく ありません。1本は 少し 切って 長さを 変えましょう」→大きい 花 2本は 同じ 長さに しないで、長さを 変える。differentiate the lengths of the two large flowers ⇒1では ない。
⑤「最後に 小さい 花を 前の ほうに 入れます。後ろの 枝の 下にも、小さい 花を 少し 入れて みましょう」→小さい 花を 前と 後ろに 入れる。⇒3では ない。

ことば
「枝」branch
「真ん中」middle, center
「変える」to change
「最後」last

12ばん　正解 2

スクリプト
先生が 学生に 説明して います。学生は 何時に どこに 集まりますか。

M：明日は クラスで 映画を 見に 行きますね。集まる 場所と 時間を 言いますから、よく 聞いて ください。映画は 10時からです。皆さんは その15分前の 9時45分までに 映画館へ 行って ください。映画館の 入り口を 入った ところに 集まります。駅の 前ですから、皆さん 映画館の 場所は わかりますね。遅れないように 行って ください。

学生は 何時に どこに 集まりますか。

ポイント
① 「皆さんは その15分前の 9時45分までに 映画館へ 行って ください」＝集まる 時間は 9時45分
② 「映画館の 入り口を 入った ところに 集まります」＝集まる 場所は 映画館の 中

ことば
「集まる」to gather, to meet
「場所」place
「遅れる」to be late

13ばん　正解 3

スクリプト
バスの 乗り場で 女の人と 男の人が 話して います。女の人は この後 何を しますか。

F：すみません。新町へ 行きたいんですが、バスの 乗り場は、ここで いいですか。
M：新町を 通る バスは、ここじゃ なくて あっち。この 道の 反対側ですよ。
F：あ、あっちですか。どの バスに 乗るんでしょうか。
M：えーと、北山 行きだったかな、あ、違うかも しれない。向こう側に いる あの バスの 運転手さんに 聞いて みて ください。
F：はい、そうします。ありがとうございました。

女の人は この後 何を しますか。

ポイント
① 「新町へ 行きたいんですが、バスの 乗り場は、ここで いいですか」＝女の人は 新町を 通る バスの 乗り場を 探して いる。The woman is looking for a bus stop where she can take a bus that passes Shinmachi.
② 「新町を 通る バスは、ここじゃ なくて あっち。この 道の 反対側ですよ」→新町へ 行く バスの 乗り場は ここでは ない。道の 反対側に 行かなければ ならない。

⚠️
◇「違うかも しれない」＝確かでは ない not sure

ことば
「乗り場」(bus) stop
「反対側」opposite side
「向こう側」opposite side
「運転手」driver

14ばん　正解 1

スクリプト
女の人が 説明を して います。この後、男の人は 最初に どの ボタンを 押しますか。

M：あのう、すみません。会議室に 入りたいんですが、番号の ボタンを 押しても、開かないんですが。
F：あ、かぎが 新しく なったんですよ。番号は 前と 同じ 5301なんですが、その 数の ボタンを 押す 前に、ボタンの いちばん 上に ある 四角い ボタンを 押して ください。その後で 5301の ボタンを 押します。最後に 下に ある 丸い ボタンを 押して ください。そうすると ドアが 開きますよ。
M：わかりました。やって みます。

この後、男の人は 最初に どの ボタンを 押しますか。

ポイント
① 「かぎが 新しく なったんですよ」→かぎが 変わったので、前と 同じ 方法で ドアを 開ける ことは できない。

N4解答

②「番号は 前と 同じ 5301なんですが、その数の ボタンを 押す 前に、ボタンの いちばん 上に ある 四角い ボタンを 押して ください」→まず、四角い ボタンを 押す。次に 5301を 押す。→ いちばん 初めに 四角い ボタンを 押す。⇒この後 男の人は 四角い ボタンを 押す。

ことば
「会議室」conference room
「四角い」square
「最後」last
「やって みる」to try

15 ばん　正解 4

スクリプト
男の人と 女の人が 話して います。女の人は どれを 買いますか。

F：これから 買い物に 行くけど、何か 要る もの ある？
M：ええと……。あ、来年の カレンダー、買って きて。
F：うん。でも、いろいろ あるよ。どんなのが いい？
M：壁に かけるから、大きいのが いいな。字も 大きくて 見やすいの。
F：わかった。
M：あ、それから、予定を 書く ところも 欲しい。
F：字が 大きくて、予定を 書く ところが あるの、ね。
M：うん、そう。
F：あ、1週間が 日曜日から 始まってるのと 月曜日からのが あるよね。どっちが いい？
M：そうだなあ。月曜日から 始まるのにして。
F：はい。じゃ、行って きます。

女の人は どれを 買いますか。

ポイント
男の人が 欲しいと 言って いる カレンダー：
①「壁に かけるから、大きいのが いいな」＝大きい（1、2、4）
②「字も 大きくて 見やすいの」＝字が 大きい（1、2、4）
③「予定を 書く ところも 欲しい」＝予定を 書きこむ スペースがある has space for putting down schedules

（1、4）
④「月曜日から 始まるのにして」＝1週間が 月曜日から 始まる（3、4）
①②③④⇒4が いい。

ことば
「予定」schedule

16 ばん　正解 2

スクリプト
男の人が 花屋で 店の 人と 話して います。男の人は 何色の 花を 送りますか。

M：あのう、友だちの おばあさんが 亡くなったので 花を 送ろうと 思うんですが、どんな 花が いいでしょうか。
F：亡くなった 方に 送る お花ですね。どんな 花でも いいですが、色は 白ですね。
M：白い 花ですか。でも、白だけでは さびしいですね。ピンクや 黄色も 少し 入れたいですね。
F：でも、亡くなった ばかりの ときは、ピンクは 入れない ほうが いいでしょう。
M：あ、亡くなってから もう 1年ぐらいなんです。ぼく、ずっと 知らなくて。最近 聞いたんですよ。
F：そうですか。1年も 前なら、だいたい どんな 色でも いいと 思いますよ。でも、赤だけは 入れない ほうが いいですね。
M：赤くない 花が いいんですね。じゃ、この 白い 花と 黄色い 花。あ、それから、その ピンクのも。
F：これですか。う〜ん、この ピンクは ずいぶん 濃いですね。赤に 近いから、これは 入れない ほうが いいと 思います。
M：ああ、そうですね。じゃ、それは やめます。

男の人は 何色の 花を 送りますか。

ポイント
①「1年も 前なら、だいたい どんな 色でも いいと 思いますよ。でも、赤だけは 入れない ほうが いいですね」＝1年前に 亡くなった 人の ために 送るのだから、赤以外の 色の 花は 送っても いい。Since the person you want to send flowers was passed away a year ago, you can send any color flowers except red.
②「この 白い 花と 黄色い 花。あ、それから、その

「ピンクのも」→白、黄色、ピンクの花を入れたい。

③「このピンクはずいぶん濃いですね。赤に近いから、これは入れないほうがいいと思います」＝この花のピンクの色は濃い。薄いピンクならだいじょうぶだが、これは赤に近い色なので入れないほうがいい。The color of this flower is dark pink. You can pick pale pink but this one is almost red, so you should avoid it.

④「じゃ、それはやめます」→濃いピンクの花は入れない。

⇒白い花と黄色い花

◇「それはやめます」＝「それをしない」＝それを入れない／送らない

ことば

「亡くなる」to pass away
「ピンク」pink
「ずっと」for a long time
「だいたい」roughly
「濃い」thick, dark

ポイント理解
Comprehension of key points

第1回

1ばん　正解4

スクリプト

男の人と女の人が話しています。女の人は電池を何個買いますか。

M：あれ、ラジオが鳴らないよ。
F：え？音が出ない？電池がなくなったんじゃない？
M：あ、そうだ。新しい電池ある？
F：ないから、買ってくるわ。そのラジオに入れる、いちばん小さい電池ね。何個？
M：4個。
F：4個ね。でも、また電池がなくなると困るよね。そのときの分も買っておく？
M：そうだね。じゃ、買っておいて。
F：1個でいいかな。
M：ええ？電池が切れたら、4個全部新しいのにするんだよ。
F：あ、そうか。

女の人は電池を何個買いますか。

ポイント

①「何個？」「4個」→今ラジオを聞くために電池が4個必要だ。4 batteries are needed to listen to the radio now.

②「でも、また電池がなくなると困るよね。そのときの分も買っておく？」「じゃ、買っておいて」→今度なくなったときのための電池も必要だ。More batteries are also needed for when they run out next time.

③「4個全部新しいのにするんだよ」→今度電池がなくなったときのために、新しい電池を4個買う。The woman buys four new batteries to be prepared for when they run out next time.

①③⇒8個買う。

◇「そのときの分」＝「電池がなくなったときの分」＝電池がなくなったときに使う新しい電池 a spare battery used when the one in use is dead

N4解答

ことば
「電池」battery
「電池が なくなる」battery expires
「～の 分」for ～
「電池が 切れる」battery expires/runs out

2ばん　正解1

スクリプト

女の人が 男の人と 話して います。男の人は どれぐらい 勉強して いますか。

F：大学の 試験、もうすぐでしょう？ 勉強、大変ね。
M：はい、先ぱいから いろいろ アドバイスを もらって、がんばって います。
F：毎日 家で どれぐらい 勉強してる？
M：う～ん、先ぱいは「5時間ぐらい やらないと だめだ」って 言うけど……、5時間は 難しいです。
F：でも、木村君は 6時間 以上 がんばる 日も あるって 言ってたわよ。
M：あの、ぼく、いつも 3時間 勉強すると 眠くなって……。だめなんです。
F：一度 寝て、また 起きて 勉強したら どう？
M：ええ、でも 寝て しまうと、もう 起きられなくて。

男の人は どれぐらい 勉強して いますか。

ポイント

①「5時間は 難しいです」＝5時間 勉強するのは とても 大変だ。→5時間は 勉強できない。
②「いつも 3時間 勉強すると 眠くなって……。だめなんです」→いつも 3時間は 勉強できるが、それ 以上は できない。usually can study for three hours but not longer than that
③「寝て しまうと、もう 起きられなくて」→一度 寝た 後、また 勉強を する ことは できない。cannot study again once he goes to sleep
①②③⇒3時間は 勉強できる。

⚠
◇「勉強してる」＝「勉強している」
◇「先ぱいは『5時間ぐらい やらないと だめだ』って 言うけど……」＝「先ぱいが『最低 5時間ぐらいは 勉強しないと 合格できない』と 言うけれど、わたしは 5時間 勉強するのは 難しい」My seniors say I cannot pass unless I study at least five hours, but it's difficult for me to study for five hours.

ことば
「試験」exam
「もうすぐ」coming soon
「先ぱい」one's senior
「アドバイス」advice
「だめ(な)」not possible
「以上」more than
「眠い」sleepy
「一度」once

3ばん　正解4

スクリプト

男の人と 女の人が 店で 話して います。女の人は どうして ビールを 飲みませんか。

M：うわあ、今日は 暑いなあ。何に する？ ビールを 頼もうか。
F：ううん、わたしは コーヒーに するわ。
M：え？ 今日は ビール、飲まないのか。
F：うん、アルコールは ちょっと。
M：え？ 今日は どうしたの？……あ、車？ 運転するからか。
F：あのね、まだ 終わって いないのよ。今日は もう 少し 働かないと。
M：ええ？ また 会社に 戻るのか。
F：そう。だから コーヒーに する。この 店の コーヒー、おいしいのよ。

女の人は どうして ビールを 飲みませんか。

ポイント

①「まだ 終わって いないのよ。今日は もう 少し 働かないと」→女の人は これから 仕事を しなければ ならない。
②「また 会社に 戻るのか」「そう」→女の人は 会社に 戻る。
①②⇒女の人は この 後 仕事を する。

⚠
◇「アルコールは ちょっと」＝アルコールが 入って いる ものは よく ない。Drinks that contain alcohol are not good.→だから、ビールは 飲まない。
＊この「ちょっと」は「少し」の 意味では ない。

This "chotto" does not mean "a little."
「ちょっと」＝ be inconvenient, have a problem, not good
◇「今日は どうしたの？」＝「(いつも ビールを 飲むのに、)今日は どうして 飲まないのですか」

ことば
「ビール」beer
「アルコール」alcohol
「戻る」to go back

4ばん　正解 3
スクリプト
病院の 人が 話して います。薬は 毎日 何回ずつ 飲みますか。

F：はい、これが お薬です。毎日 飲む薬は この ピンクの 薬と 黄色い 薬です。ピンクは 1日 2回、朝と 晩の 食事の 後に 飲みます。黄色 は 夜 寝る 前に 飲みます。それから、もう 一 つ 白い 薬が ありますが、これは 頭が とて も 痛い ときだけ 飲んで ください。強い 薬で すから、なるべく 飲まない ほうが いいです よ。頭が 痛い ときでも、1日に 1回だけに して ください。

薬は 毎日 何回ずつ 飲みますか。

ポイント
①「ピンクは 1日 2回、朝と 晩の 食事の 後に 飲 みます」→ピンクの 薬は 1日 2回 飲む。
②「黄色は 夜 寝る 前に 飲みます」→黄色の 薬は 1日 1回 飲む。
③「これは 頭が とても 痛い ときだけ 飲んで く ださい」→白い 薬は 毎日 飲まない。
①②⇒朝ごはんの 後、晩ごはんの 後、寝る 前に 飲む。＝3回 飲む。

ことば
「ピンク」pink
「食事」meal
「強い 薬」strong medicine
「なるべく」preferably, if possible

5ばん　正解 3
スクリプト
男の 学生と 女の 学生が 話して います。女の 学 生は 何を 勉強して いますか。

M：この 本、おもしろかったよ。よかったら 読 まない？
F：「子どもと 科学」か。わたし、科学とか 数学 とかは ちょっと。
M：え、これ、教育の 本だよ。
F：え、そうなの？ あなたの 好きな 数学の 本 だと 思った。
M：違うよ。それに、ぼくが いちばん 好きなの は 歴史だよ。これ、君の 専門の 本だから 持って きたんだ。
F：ありがとう。じゃ、貸して。

女の 学生は 何を 勉強して いますか。

ポイント
①「これ、教育の 本だよ」→男の 人は 教育の 本を 持って いる。The man has a book on education.
②「君の 専門の 本だから 持って きたんだ」→女 の 人の 専門は 教育。The woman's major is educa- tion. ⇒女の 人は 教育を 勉強して いる。

⚠
◇「よかったら」＝あなたが 読みたければ
◇「わたし、科学とか 数学とかは ちょっと」＝わ たしは 科学や 数学の 本は 読みたく ない。
◇「そうなの？」＝「そうなんですか」＝教育の 本だと 思わなかった。The woman didn't think it was a book on education.

ことば
「科学」science
「数学」math
「教育」education
「歴史」history
「君」you
「専門」major

6ばん　正解 2
スクリプト
会社で 男の 人と 女の 人が 話して います。2人は 何時に 会いますか。

M：今夜 一緒に 食事しませんか。
F：いいですね。どこへ 行きますか。
M：この間の 店は どうですか。

67

F：あ、あそこ よかったですね。何時に？
M：君は、仕事、5時まででしょう？
F：ええ。あの 店なら 近いから、会社から 15分で 行けます。
M：でも、5時に 終わって すぐに 会社を 出るのは 忙しいでしょう。5時半に しますか。
F：だいじょうぶ、だいじょうぶ、すぐに 出られます。
M：そう？ それじゃ、ぼくも その 時間に 行きます。

2人は 何時に 会いますか。

ポイント
① 「君は、仕事、5時まででしょう？」→女の人の 仕事は 5時に 終わる。
② 「会社から 15分で 行けます」→女の人の 会社から 店まで 15分かかる。
③ 「すぐに 出られます」→女の人は 5時に 会社を 出る。→5時15分に 店に 着く。
④ 「ぼくも その 時間に 行きます」→男の人も 5時15分に 店に 着く。2人は 5時15分に 会う。

◇「この間の 店」＝この間 2人が 行った 店

ことば
「今夜」 tonight
「食事する」 to have a meal
「この間」 last time
「君」 you

7ばん　正解3

スクリプト
天気予報を 聞いて います。いつ 晴れると 言って いますか。

M：昨日から 雨が 降って いますが、この 雨は まだ 続くでしょう。明日も 一日 降るでしょう。あさって 水曜日は、午前中は まだ 雨が 残りますが、午後には やむでしょう。しかし、天気が すっかり よくなるのは、その 次の 日に なるでしょう。

いつ 晴れると 言って いますか。

ポイント
「しかし、天気が すっかり よくなるのは、その 次の 日に なるでしょう」→雨は 水曜日に やむが 晴れな

い。木曜日に 晴れる。It will stop raining on Wednesday, but will not be clear till Thursday.

◇「この 雨は まだ 続くでしょう」＝今 雨が 降って いる。この 後も 雨が 降り続くだろう。It is raining now and will continue for a while.
◇「明日も 一日 降るでしょう」＝明日も 一日中 雨が 降るだろう。It will rain all day tomorrow.
◇「午前中は まだ 雨が 残ります」＝午前中は、前の 日から 降って いる 雨が 続けて 降る。The rain that has been falling since the day before will still continue during the morning.
◇「天気が すっかり よくなる」＝晴れる

ことば
「天気予報」 weather forecast
「雨が 残る」＝雨が 止まないで まだ 降る The rain will not stop and still falls.
「やむ」 to stop, to let up
「すっかり」 completely

第2回

8ばん　正解2

スクリプト
会社で 男の人と 女の人が 話して います。スポーツ大会に 出る 人は 何人ですか。

M：山本さん、スポーツ大会の 連絡、もう して くれましたか。
F：ええ。連絡したんですけど、「運動は ちょっと」って いう 人が 多くて、出るって 言った 人は 3人だけなんです。そちらは どうでしたか。
M：小林君は 今度の 日曜日は だめだそうです。
F：残念ですね。
M：でも、田中君と 木村さんは 出るって 言って いました。
F：そして、課長と わたしたち 2人ですね。もう 1人 いると いいんですけど、仕方が ないですね。
M：そうですね。

スポーツ大会に 出る 人は 何人ですか。

ポイント
① 「出るって 言った 人は 3人だけなんです」＝出ると 言った 人は 3人だけなんです。→3人 出る。

②「田中君と 木村さんは 出るって 言って いました」＝「田中君と 木村さんは 出ると 言って いました」→2人 出る。
③「課長と わたしたち 2人ですね」→3人 出る。
①＋②＋③⇒8人 出る。

⚠️
◇「『運動は ちょっと』って いう 人が 多くて」＝運動は したく ないと いう 人が 多いので、スポーツ大会に 出る 人は あまり いない。Because a lot of people say they don't like to work out, there aren't many who can participate in the sports meet.
◇「(〜に) 出る」＝「(〜に) 参加する／出席する」 to participate in, to attend
◇「もう 1人 いると いいんですけど、」＝スポーツ大会に 出る 人が もう 1人 いると いいけれども、実際は いない。wish there was one more person who can participate in the sports meet, but there isn't.

ことば
「スポーツ大会」sports meet
「連絡(を) する」to contact
「運動」sports, exercise
「だめ(な)」not available
「残念(な)」shame
「課長」section chief
「仕方ない／仕方がない」can't be helped, there's no other choice

9 ばん　正解 3

スクリプト
男の 学生と 女の 学生が 話して います。女の 学生は どうして アルバイトを やめましたか。

M：あれ、今日、アルバイトは？
F：やめたの。国へ 帰るから。
M：え、大学 やめるの？
F：そうじゃなくて、来週から 夏休みでしょ。夏休みだから 国へ 帰ろうと 思って。
M：それなら 仕事 やめなくても いいのに。休みは とれないの？
F：とれるけど、1か月くらい 帰る つもりだから。
M：そうか。うん、1か月は 長いね。
F：まあ、帰って きたら、新しい アルバイト、探すから、だいじょうぶ。

女の 学生は どうして アルバイトを やめましたか。

ポイント
①「大学 やめるの？」「そうじゃなくて」→大学は やめない。
②「とれるけど」→休みは とれる。
③「1か月くらい 帰る つもりだから」→アルバイトを 1か月 くらい 休む。
④「1か月は 長いね」＝長い 休みだ。⇒女の 学生は 長い間 休む。

⚠️
◇「え、大学 やめるの？」：女の 人が 国へ 帰ると 言ったので、男の 人は、女の 人が 留学を やめると 思った。Because the woman said she was going back to her country, the man thought she was going to quit her study abroad.
◇「夏休みだから 国へ 帰ろうと 思って」：夏休みだから 国へ 帰ろうと 思っている。だから、アルバイトを やめた。

ことば
「アルバイト」part-time job
「やめる」to quit
「休みを とる」to take a vacation
「つもり」intention, plan
「探す」to look for

10 ばん　正解 3

スクリプト
女の 人が 話して います。今日の 試験は 何時に 始まりますか。

F：皆さん、おはようございます。今朝は 雪の ために 電車や バスが 遅れて います。その ため 今日の 試験の 時間を 変えます。今日は、9時から 日本語、11時から 数学、午後 1時から 英語の 試験を 行う 予定でしたが、日本語の 試験は 明日の 午後 1時からに します。数学と 英語の 試験は 今日 行いますが、始める 時間を 30分 遅くします。数学が 11時半から、英語が 午後 1時半からです。間違えない ように 注意して ください。

今日の 試験は 何時に 始まりますか。

ポイント
①「日本語の 試験は 明日の 午後 1時にし

ます」→今日は 日本語の 試験は 行わない。No Japanese exam today.

②「数学と 英語の 試験は 今日 行います」＝数学と 英語の 試験は 今日 行う。Math and English exams will be given today.

③「数学が 11時半から、英語が 午後 1時半からです」→今日の 試験は 11時 30分に 始まる。Today's exams will begin at 11:30.

⚠
◇「雪の ために」＝雪が 降ったから
◇「その ため」＝その 理由で for that reason ＝雪が 降って 電車や バスが 遅れて いるから because trains and buses are delayed due to snow

ことば
「試験」exam
「〜(の) ため」because (of) 〜
「遅れる」to be delayed
「変える」to change
「数学」math
「行う」to be given/administered
「予定」schedule
「間違える」to get mixed up
「注意する」to be careful

11ばん 正解4

スクリプト
男の 学生と 女の 学生が 話して います。2人は いつ 映画を 見に 行きますか。

M：ねえ、土曜日、映画、見に 行かない？
F：え、何の 映画？
M：「赤い 山」。
F：あ、見たい。でも、今度の 土日は スキーに 行く 予定なの。
M：そうか。映画は 夜 遅い 時間でも やってるけど、スキーに 行くんじゃ 無理だね。
F：来週の 月曜日か 火曜日は？
M：ぼくは 火曜日に テストが あるから、ちょっと。
F：火曜日の 夜は？ 試験が 終わってからなら だいじょうぶでしょ？
M：そうだね。テストは 3時からだから、7時なら 行ける。
F：よかった。見たかったの、「赤い 山」。うれしい。

2人は いつ 映画を 見に 行きますか。

ポイント
①「スキーに 行くんじゃ 無理だね」→女の 人は、土曜日、日曜日は 行けない。
②「ぼくは 火曜日に テストが あるから、ちょっと」→男の 人は、月曜日と 火曜日は 行きたくない。
③「テストは 3時からだから、7時なら 行ける」→男の 人は、火曜日の 夜は 行ける。⇒火曜日に 見に 行く。

⚠
◇「そうか」＝そうですか
◇「映画は 夜 遅い 時間でも やってるけど」＝「映画は 夜 遅い 時間でも やって いるけど」→映画は 夜 遅い 時間でも 見られる。can watch movies late at night also
◇「スキーに 行くんじゃ 無理だね」＝「スキーに 行くのでは 無理だね」＝（映画は 夜 遅くても 見られる。しかし、）スキーに 行くと（帰ってこられないから）夜 遅い 時間でも 見られない。(can watch the movie late at night also, but) if you go skiing, you can't watch it even late at night (because you can't come back).

ことば
「予定」schedule, plan
「(映画を) やって いる」(a movie) is showing
「うれしい」glad

12ばん 正解2

スクリプト
テレビで 男の 人と 女の 人が 話して います。男の 人は どんな 仕事を して いますか。

F：山本さんは、今は フランスで お仕事を して いらっしゃるんですね。
M：ええ、日本の 味を フランスの 人たちに 紹介したいと 思って。
F：そうですか。フランスの 人たちは 料理の 味に きびしいでしょうね。
M：ええ、そうですね。
F：この 雑誌に 山本さんの 料理の 写真が 出て いますね。
M：はあ…。自分の 作った 料理の 写真が 雑誌に

出るのは うれしいですね。

男の人は どんな 仕事を して いますか。

ポイント
① 「日本の 味を フランスの 人たちに 紹介したいと 思って」→男の人は フランスで 日本の 食べ物の 仕事を して いる。The man is working related to Japanese food in France.
② 「自分の 作った 料理の 写真が 雑誌に 出るのは うれしいですね」→男の人は 料理を 作る。
⇒ 男の人は フランスで 日本料理を 作る 仕事を して いる。

⚠ ◇「料理の 味に きびしい」＝とても おいしい 料理で なければ 満足しない。not satisfied unless dishes are very good

ことば
「フランス」France
「味」taste
「紹介する」to introduce
「きびしい」strict, unforgiving, uncompromising

13 ばん　正解 3

スクリプト
駅で 男の人と 女の人が 話して います。2人は 何分 待たなければ なりませんか。

M：ああっ、電車 行っちゃったよー。
F：あ〜あ。しょうがない。次の 電車を 待とう。次は 何分？
M：ええと……。今、3時 10分だから、次は 3時 40分だね。
F：ええっ？ それじゃ、約束の 時間に 遅れちゃうじゃない。
M：うん、15分ぐらい 遅れるね。電話して おこう。
F：「20分ぐらい 遅れる」って 言って おいた ほうが いいよ。

2人は 何分 待たなければ なりませんか。

ポイント
「今、3時 10分だから、次は 3時 40分だね」→ 30分 待つ。

⚠ ◇「電車 行っちゃったよー」＝電車が 行って し

まった。
◇「約束の 時間」＝約束を した 時間
◇「遅れちゃうじゃない」＝「遅れて しまうじゃないか」＝遅れて しまう

ことば
「しょうがない」can't be helped
「約束」appointment
「遅れる」to be late

14 ばん　正解 4

スクリプト
旅行会社の 人が 話して います。どんな ときの 注意を して いますか。

F：おはようございます。今日は 皆さんで 自由に 好きなところへ いらっしゃってください。この 町には 美術館、公園など 見る ところが たくさん あります。川の そばには 小さな 店が 並んで いて、買い物を しながら 散歩が できます。食事を する ところも たくさん あります。でも、タクシーには 注意して ください。道路で タクシーを 止めて 乗っては いけません。タクシーに 乗る ときは、駅や ホテルに ある タクシー乗り場で 乗りましょう。または、レストランや 店の 人に タクシーを 呼んで もらって ください。

どんな ときの 注意を して いますか。

ポイント
① 「タクシーには 注意して ください」→タクシーに ついての 注意を して いる。giving a warning in case of taking a taxi
② 「道路で タクシーを 止めて 乗っては いけません」
③ 「駅や ホテルに ある タクシー乗り場で 乗りましょう」
④ 「レストランや 店の 人に タクシーを 呼んで もらって ください」
②③④ ⇒タクシーに 乗る ときに 注意する ことを 言って いる。talking about what to be careful about when taking a taxi

ことば
「旅行会社」travel agency
「注意（を）する」to give a warning, to be careful

71

「自由(な)」 free
「いらっしゃる」 to go〔honorific〕
「美術館」 art museum
「食事」 meal
「道路」 road
「タクシーを止める」 to catch a taxi
「タクシー乗り場」＝タクシーに乗る場所
「または」 or
「タクシーを呼ぶ」 to call a taxi

発話表現
Verbal expressions

第1回

1ばん　正解 3

スクリプト
子どもが動物をいじめています。何と言いますか。
F：1 どうぞ、気を付けてください。
　　2 お大事にしてください。
　　3 そんなことをしてはいけませんよ。

ことば
「そんなことをしてはいけませんよ」 You must not do such a thing.

選択肢のことば
1 例 道を渡るときは、危ないですから、気を付けてください。It's dangerous to cross a street, so be careful.
2 例 「かぜをひきました」－「それはいけませんね。お大事にしてください」

2ばん　正解 3

スクリプト
ほかの人より先に帰ります。何と言いますか。
F：1 お先にどうぞ。
　　2 先に帰ったらどうですか。
　　3 お先に失礼します。

ことば
「お先に失礼します」 Excuse me for leaving first. ＝「すみません。わたしは先に帰ります／行きます」

選択肢のことば
1 「お先にどうぞ」 You go first, please. 例（エレベーターに乗るとき、そばにいるお年寄り(B)にAが言う）When boarding an elevator, A says to a nearby senior citizen (B). A「お先にどうぞ」－B「ありがとうございます」
2 「先に帰ったらどうですか」 Why don't you leave first? 例「頭が痛いんです」－「それじゃ、仕事をやめて、先に帰ったらどうですか」

3ばん 正解1

スクリプト
座りたいです。何と 言いますか。
M：1 ここ、空いて いますか。
　　 2 ここに どうぞ。
　　 3 ここに 座ります。

ポイント
「ここ、空いて いますか」＝「ここに 座っても いいですか」：その 席が 空いて いると 思っても、すぐに 座らないで、隣の 席に 座って いる 人に「空いて いますか」と 確認してから 座るのが いい。Even if you see the seat is not taken, you should make sure and ask the person sitting next to it saying "Is this seat taken?" before you go ahead and sit.

選択肢のことば
2「ここに どうぞ」＝「(あなたが) ここに 来て ください」

4ばん 正解2

スクリプト
先ぱいの 田中さんに 聞きたい ことが あります。何と 言いますか。
F：1 田中さん、失礼しました。
　　 2 田中さん、今、よろしいですか。
　　 3 田中さん、おかげさまで。

ポイント
「今、よろしいですか」＝「今、いいですか／今、だいじょうぶですか」

ことば
「先ぱい」one's senior

選択肢のことば
1「失礼しました」＝「ごめんなさい／すみません」
3「おかげさまで」 例1「お元気ですか」―「はい、おかげさまで」 例2 学生「先生、おかげさまで 合格できました」Thanks to you, I could pass it, Teacher. ―先生「おめでとう」

5ばん 正解1

スクリプト
窓から 強い 風が 入って きました。何と 言いますか。
M：1 窓を 閉めましょうか。
　　 2 窓を 閉めて います。
　　 3 窓を 閉めた ところです。

ポイント
「窓を 閉めましょうか」＝「(わたしが) 窓を 閉めますか」

選択肢のことば
3「窓を 閉めた ところです」＝「今、窓を 閉めました」

第2回

6ばん 正解3

スクリプト
妻が 部屋を 片付けて います。夫に 何と 言いますか。
F：1 手伝って ほしい？
　　 2 手伝いましょうか。
　　 3 手伝って くれない？

ポイント
「手伝って くれない？」＝「手伝って ください」
＊友だちや 家族など 親しい 人に 言う。Used to close friends or family members.

選択肢のことば
1 例 忙しそうだね。手伝って ほしい？ You look busy. Want me to help you?
2 例 忙しそうですね。手伝いましょうか。You look busy, sir/ma'am. Shall I help you?

7ばん 正解1

スクリプト
これから 出かけます。何と 言いますか。
M：1 いって まいります。
　　 2 いらっしゃいませ。
　　 3 いってらっしゃい。

ポイント
「いって まいります」：出かける ときに 言う。Used when one leaves. ＝「いって きます」

選択肢のことば
2「いらっしゃいませ」：客を 迎える ときに 言う。Used when welcoming a guest/customer. 例 (客)「こんにちは」―「いらっしゃいませ」
3「いってらっしゃい」：出かける 人を 送る ときに 言う。Used when one sees a person off. 例 (出かける 人)「いって まいります」―「いってらっ

8ばん　正解 2

スクリプト
約束の時間に遅れました。待っていた人に何と言いますか。
F：1 お先にどうぞ。
　　 2 お待たせしました。
　　 3 どうぞ、ごゆっくり。

ポイント
「お待たせしました」＝「(遅くなって)、あなたを待たせてしまいました。ごめんなさい」

選択肢のことば
1 「お先にどうぞ」You go first, please. 例(エレベーターに乗るとき、そばにいるお年寄り(B)にAが言う) When boarding an elevator, A says to a nearby senior citizen (B). A「お先にどうぞ」－B「ありがとうございます」
3 「どうぞ、ごゆっくり」＝「急がないで、ゆっくりしてください」

9ばん　正解 2

スクリプト
疲れたので休みたいです。何と言いますか。
M：1 ちょっと休んだほうがいいですよ。
　　 2 少し休みませんか。
　　 3 もう休みましたか。

ポイント
「少し休みませんか」＝「少し休みましょう。どうですか」
◇「～ませんか」 例 おなかがすきましたね。何か食べませんか。

選択肢のことば
1 「ちょっと休んだほうがいいですよ」＝「(あなたは)休みなさい」 例 疲れたでしょう。ちょっと休んだほうがいいですよ。
3 例「もう休みましたか」－「いいえ、まだです」

10ばん　正解 2

スクリプト
コピーの取り方がわかりません。何と言いますか。
F：1 あのう、これを使いませんか。
　　 2 ちょっと教えてもらえませんか。
　　 3 これ、どうしましょうか。

ポイント
「ちょっと教えてもらえませんか」Would you show me something? ＝「教えてください」 ＊少していねいな言い方 rather polite

選択肢のことば
1 「あのう、これを使いませんか」＝「どうぞ、これを使ってください」
3 例「これ、どうしましょうか」－「それはもういらないから、捨ててもいいですよ」 I don't need it any more, so you can throw it.

即時応答
Quick response

第1回

1ばん　正解 1

スクリプト
M：今 どこに 住んで いますか。
F：1 東京です。
　　2 去年からです。
　　3 どこでも いいです。

ポイント
M＝「あなたが 住んで いる 場所は どこですか」
場面：男の人は 女の人に、女の人が 住んで いる 場所を 聞いた。The man asked the woman where she lives.

選択肢のことば
2 例「いつから 住んで いますか」－「去年からです」
3 例「どこに 住みたいですか」－「どこでも いいです」

2ばん　正解 2

スクリプト
F：早く 寝た ほうが いいよ。
M：1 うん、いいよ。
　　2 うん、そう する。
　　3 うん、早く 寝た。

ポイント
F＝「早く 寝て ください」
M＝「はい、そう します」＝「早く 寝ます」
場面：女の人は 男の人に 早く 寝なさいと 言った。男の人は 寝る。The woman told the man to go to bed soon. He wiii do so.

⚠
◇「そう する」＝相手の 人が 言う 通りに する do as the other person tells him/her to do

選択肢のことば
1 例 F「寝ても いい？」－M「うん、いいよ」
　＊女の人が 寝る。
3 例 F「ゆうべ 早く 寝た？」－M「うん、早く 寝た」
　＊昨日 早く 寝たか どうかを 聞いた。The woman asked the man if he went to bed early yesterday.

3ばん　正解 1

スクリプト
M：ただいま。
F：1 おかえりなさい。
　　2 いって まいります。
　　3 よく いらっしゃいました。

ポイント
M＝「今 帰って きました」
場面：男の人は 今帰って きたので、あいさつを した。「ただいま」は 帰って きた 人が 家にいる 人に 言う。「おかえりなさい」は 家にいる 人が 帰って きた 人に 言う。The man has just returned home and gives (his family) a greeting. "Tadaima" and "okaerinasai" are greetings. A person who just came back says "tadaima" to someone who is home. The person who is home says "okaerinasai" to the other who just came home.

選択肢のことば
2 「いって まいります」＝「いって きます」：自分が 出かける ときに 言う。Used when one leaves.
　例「いってらっしゃい」－「いって まいります」
　◇「いってらっしゃい」：出かける 人を 送る ときに 言う。Used when one sees a person off.
3 例「こんにちは」－「よく いらっしゃいました」
　＊「よく いらっしゃいました」は あいさつの ことば。客が 家に 来た ときに、家に いる 人が 客に 言う。"Yoku irasshaimashita (Thanks for coming)" is a greeting. A host at home welcomes a guest with this greeting.

4ばん　正解 1

スクリプト
F：国から 友だちが 来たら、何を しますか。
M：1 京都へ 行きます。
　　2 いいえ、来週 来ます。
　　3 友だちに 会いたいです。

ポイント
F＝「あなたの 国から あなたの 友だちが（日本に）来ます。あなたは その 友だちと 一緒に 何を する 予定ですか」
M＝「京都へ 行く 予定です」
場面：男の人の 国から 男の人の 友だちが 日本に 来る。女の人は 男の人に、その 友だちが 日

本に 来た とき、一緒に 何を するかを 聞いた。The man is expecting a friend to come visit him in Japan from his home country. The woman is asking what he is going to do with his friend when he comes.

選択肢のことば
2 例「友だちは、今週 来ますか」－「いいえ、来週 来ます」
3 例「だれに 会いたい ですか」－「友だちに 会いたいです」

5ばん　正解 3

スクリプト
M：忘れない ように、メモを して ください。
F：1 はい、覚えました。
　　2 はい、忘れません。
　　3 はい、わかりました。

ポイント
M＝「忘れると 困りますから、(この 話の 内容を) 紙に 書いて ください」Please put down (what I said) on a piece of paper so you won't forget.
場面：男の人は 女の人に「これは 大切な ことだから、忘れると 困ります。紙に 書いて ください」と 言った。The man said to the woman, "This is something important you should not forget, so please put it down on a piece of paper."

ことば
「メモ」＝思い出す ために 書いた もの

選択肢のことば
1 例「もう 覚えましたか」－「はい、覚えました」
2 例「忘れないで ください」－「はい、忘れません」

6ばん　正解 3

スクリプト
F：隣の 部屋に だれか いますか。
M：1 どこにも いません。
　　2 だれでしょう。
　　3 だれも いません。

ポイント
F＝「隣の 部屋に いる 人が いますか、いませんか」
M＝「隣の 部屋には だれも いません」
場面：女の人は 隣の 部屋に 人が いるか いないかを 聞いた。男の人は、隣の 部屋に 人は いないと 答えた。The woman asked if there's anybody in the room next door. The man answered there's nobody next door.

◇「だれか いますか」－「はい、います」／「いいえ、いません」
「だれが いますか」－「田中さんが います」

選択肢のことば
1 例「田中さんは どこに いますか」－「どこにも いません」
2 例「隣の 部屋に だれか いますよ」－「だれでしょう」

7ばん　正解 1

スクリプト
M：すみません。しょうゆを 取って ください。
F：1 はい、どうぞ。
　　2 はい、どうも。
　　3 はい、けっこうです。

ポイント
M＝「しょうゆが 入って いる 入れ物を わたしに 渡して ください」Pass me the soy sauce pot, please.
場面：男の人は しょうゆが 欲しい。しょうゆは 女の人の 近くに ある。男の人は 女の人に しょうゆの 入って いる 入れ物を 自分に 渡して ほしいと 頼んだ。The man wants soy sauce which is near the woman. He asked her to pass him the pot that contains soy sauce.

ことば
「すみません」＝「お願いします」

選択肢のことば
2 例 M「しょうゆです。どうぞ」－F「はい、どうも」
＊男の人が しょうゆを とって、女の人に 渡した。女の人が「ありがとう」と 言った。
3 例 M「しょうゆは 要りませんか」－F「はい、けっこうです」＊男の人が 女の人に「しょうゆは 欲しくないか」と 聞いた。女の人は、要らないと 言った。The man asked the woman if she wanted soy sauce. She said she didn't.

8ばん　正解 2

スクリプト
F：ここで たばこを 吸っては いけません。
M：1 はい、いけません。

2 あ、すみません。
3 はい、困ります。

ポイント
F＝「ここで たばこを 吸わないで ください」
場面：男の人が たばこを 吸って いた。女の人は 男の人に、ここで たばこを 吸うなと 言った。男の人は あやまった。A man was smoking a cigarette. A woman told him not to smoke here. He apologized.

選択肢のことば
1、3 例 F「ここで たばこを 吸っては いけませんか」－M「はい、いけません」／「はい、困ります」＊女の人は たばこを 吸いたいと 思って いる。男の人は だめだと 言った。

第2回

9ばん　正解 3

スクリプト
M：漢字は どれくらい 読めますか。
F：1 はい、読めます。
　　2 6か月ぐらいです。
　　3 200ぐらいです。

ポイント
M＝「あなたは いくつぐらい 漢字が 読めますか」
場面：男の人は 女の人が 読める 漢字の 数を 聞いた。The man asked the woman how many kanji characters she could read.

選択肢のことば
1 例 M「あなたは 漢字が 読めますか」－F「はい、読めます」＊男の人は、女の人が 漢字が 読めるか どうかを 聞いた。The man asked the woman whether or not she could read kanji characters.
2 例 M「あなたは どれくらい 漢字を 勉強して いますか」－F「6か月ぐらいです」＊男の人は、女の人が 漢字を 勉強した 時間を 聞いた。The man asked the woman how long she had studied kanji characters.

10ばん　正解 1

スクリプト
F：消しゴム、貸して。
M：1 いいよ。

2 ありがとう。
3 だいじょうぶ。

ポイント
F＝「消しゴムを 貸して ください」
場面：女の人は 消しゴムを 持って いない。男の人は 消しゴムを 持って いる。女の人は 男の人に 消しゴムを 借りたいと 言った。The woman doesn't have an eraser. The man does. She said to him she would like to borrow his eraser.

選択肢のことば
2 例 F「消しゴム、どうぞ」／「この 消しゴム、使って」／「はい、消しゴム」－M「ありがとう」＊女の人は 男の人に 消しゴムを 渡した。男の人が 消しゴムを 使う。The woman handed over the eraser to the man. He uses it.
3 例 F「消しゴム、使いますか」／「消しゴム、ありますか」／「消しゴム、要りませんか」－M「だいじょうぶ」＊女の人が 消しゴムを 持って いる。女の人は 男の人に 消しゴムが 要るか どうか 聞いた。男の人は「持って いるから、だいじょうぶです」と 答えた。The woman has an eraser. She asked the man if he needed one. He answered, "I have one, thank you."

11ばん　正解 1

スクリプト
F：この 店、また 来たいね。
M：1 うん、来たいね。
　　2 もう 来たよ。
　　3 まだだよ。

ポイント
F＝「この 店に また 来たいです。あなたも 来たいでしょう？」
場面：女の人と 男の人は 一緒に 店に いる。いい 店なので、女の人は また 来たいと 思った。女の人は 男の人に、「あなたも また 来たいと 思うでしょう？」と 聞いた。A man and a woman are at a store together. She said she wanted to come back because it's a good one. She asked him, "You want to come back too, don't you?"

選択肢のことば
2 例 「田中さん、まだ 来ないね」／「手紙、まだ 来ないね」－「もう 来たよ」

3 例「田中さん、もう 来た?」/「もう ごはん、食べた?」—「まだだよ」

12ばん　正解3

スクリプト

M：部屋の 窓、開けて ありますか。
F：1 はい、開けても いいですよ。
　　2 あ、開けないで ください。
　　3 はい、開けました。

ポイント

M＝「部屋の 窓は、今 開けた 状態に なって いますか」 Are the windows in the room open now?

場面：男の人は 女の人に、今 窓を 開けた 状態に なって いるか どうかを 聞いた。女の人は、「今 窓は 開いて いる。自分が 窓を 開けた」と 言った。The man asked the woman if the windows were open or not. She said, "The windows are open because I opened them."

選択肢のことば

1 例 M「窓を 開けても いいですか」—F「はい、開けても いいですよ」＊男の人は 窓を 開ける。
2 例 M「窓を 開けますよ」—F「あ、開けないで ください」＊男の人は「窓を 開ける」と 言った。女の人は「開けては 困る」と 言った。

13ばん　正解1

スクリプト

F：朝から 頭が 痛いんです。
M：1 それは いけませんね。
　　2 だいじょうぶです。
　　3 それほどでも ありません。

ポイント

F＝「わたしは 朝から 頭が 痛くて、困って います」

場面：女の人は 男の人に「わたしは 頭が 痛くて、困って いる」と 言った。男の人は「わたしは 心配だ」と いう 気持ちを 伝えた。The woman said to the man, "I have a headache and don't feel well." He expressed his concern that he was worried.

選択肢のことば

2 例「病院へ 行きますか」/「仕事、手伝いましょうか」—「だいじょうぶです」
3 例「薬を 飲みますか」/「日本語が 上手ですね」—「それほどでも ありません」＝大した ことは ない It's no cause for worry. / Well, not really.

14ばん　正解2

スクリプト

M：お世話に なりました。
F：1 おかげさまで。
　　2 いいえ、こちらこそ。
　　3 失礼しました。

ポイント

M＝「あなたは わたしに いろいろ 親切に して くれました。ありがとう ございました」

場面：男の人は 女の人が 親切に して くれたので お礼の 気持ちを 伝えた。女の人は、「そうでは ない。わたしが あなたに 親切に して もらったのだ」と 言った。The man expressed his thanks to the woman because she offered him kindnesses. She said, "It's you that offered me kindnesses."

ことば

「世話に なる」＝世話を して もらう＝親切に して もらう/助けて もらう/手伝って もらう receive kindness/assistance/help

「こちらこそ」：お礼や おわびを 言われた とき、「わたしも お礼/おわびを 言いたいです」と いう 気持ちを 伝える ことば。When offered thanks or apology, one expresses his/her feeling that "I myself want to thank you/apologize to you." 例「楽しかったです。ありがとう ございます。」—「こちらこそ」

選択肢のことば

1「おかげさまで」：お礼を 言う ときの ことば。「あなたが 助けて くれたから いい 結果に なったと 思って いる」と いう 気持ちを 伝える。Expression of thanks, telling someone "It's because you helped me that brought about a good result" 例 おかげさまで、大学に 合格できました。Thanks to you, I could pass my college entrance exam. 「元気に なって よかったですね」—「おかげさまで」
3「失礼しました」：「ごめんなさい」の ていねいな 表現。polite version of "Gomennasai." 例 A「田中さんですか」—B「いいえ、違います」—A「失礼しました」

15 ばん　正解 3

スクリプト
F：このページ、コピーして おいて ください。
M：1　何ですか。
　　2　だれですか。
　　3　何枚ですか。

ポイント
F＝「この後、これを 使います。それまでに コピーして ください」
場面：この後 使う予定の 書類が ある。女の人は 男の人に、「使うときまでに これを コピーして ほしい」と 言った。There're some papers she plans to use later. The woman asked the man to copy them by the time she would use them.

「コピーして おいて ください」⇒コピーした 紙は 1枚、2枚と 数える。The counter for copies is "mai" as in "ichi-mai, ni-mai."

◇「コピーして おいて ください」＝後で 使うから、それまでに（この 書類を）コピーして ください。
Please make a copy of this document so I can use it later.

選択肢のことば
1　例「あなたに 聞きたい ことが あります」－「何ですか」
2　例「あなたに 会いたいと 言っている 人が います」－「だれですか」

16 ばん　正解 3

スクリプト
M：どうして 食べないんですか。
F：1　ちょっとだけです。
　　2　忘れました。
　　3　おなかが 痛いんです。

ポイント
M＝「食べない 理由を 教えて ください」Tell me why you aren't eating.
F＝「おなかが 痛いからです」
場面：女の人が（ごはんを）食べないので、男の人は 女の人に（ごはんを）食べない わけを 聞いた。Because the woman wasn't eating (the meal), the man asked her why she wasn't eating.

選択肢のことば
1　例「たくさん 食べましたか」－「ちょっとだけです」
2　例「どれくらい／何を／どこで／いつ／だれと／どうやって／何回 食べましたか」－「忘れました」